5 학년이 꼭 ✓ 알아야 한 수학 서술형

수학 학력 평가의 새로운 기준!

현직 교수, 박사급 출제위원!

빅데이터 평가분석!

1:1 KMA 평가 전문 상담!

KMA
한국수학학력평가

평가 일시 : 매년 상반기 6월, 하반기 11월 실시

참가 대상	초등 1학년 ~ 중등 3학년 (상급학년 응시가능)
신청 방법	1) KMA 홈페이지에서 온라인 접수 2) 해당지역 KMA 학원 접수처 3) 기타 문의 ☎ 070-4861-4832
홈페이지	www.kma-e.com

※ 상세한 내용은 홈페이지에서 확인해 주세요.

주 최 | 한국수학학력평가 연구원 　　　 주 관 | ㈜에듀왕

KMA 대비서

서술형

특징

1. 3~6학년까지 1 · 2학기로 구성되어 있습니다.

2. 다양한 서술형 문제를 제시된 풀이 과정에 따라 학습하고 익히면서 자연스럽게 문제 해결이 가능하도록 하였습니다.

3. 학교 교과 과정을 기준으로 하여 학기 중에 학교 진도에 맞추어 학습이 가능하도록 하였습니다.

구성

서술형 탐구
대표적인 서술형 유형을 선택하여 서술 길라잡이와 함께 제시된 풀이 과정을 통해 문제 해결 방법을 익히도록 구성하였습니다.

서술형 완성하기
서술형 탐구와 유사한 문제를 빈칸을 채우며 풀이 과정을 익히는 학습을 통해 같은 유형의 서술형 문제를 익히도록 구성하였습니다.

서술형 정복하기
서술형 완성하기에서 배운 풀이 전개 방법을 완벽하게 반복 연습하여 서술형 문제에 대한 자신감을 갖도록 구성하였습니다.

실전! 서술형
단원을 마무리 하면서 익힌 내용을 다시 한 번 정리해보고 확인하여 자신의 실력으로 만들 수 있도록 구성하였습니다.

CONTENTS

자연수의 혼합 계산

계산이 틀린 이유를 설명하고, 바르게 고쳐 계산하시오. (4점)

$$64 \div 8 \times 2 = 64 \div 16$$
① $= 4$
②

서술 길라잡이 곱셈과 나눗셈이 섞여 있는 식의 계산 순서를 생각하여 설명합니다.

✏ 곱셈과 나눗셈이 섞여 있는 식은 앞에서부터 차례로 계산해야 하는데 곱셈부터 계산하였습니다.

$$64 \div 8 \times 2 = 8 \times 2$$
① $= 16$
②

평가기준	계산이 틀린 이유를 설명한 경우	2점	합 4점
	바르게 고쳐 계산한 경우	2점	

서술형 완성하기   서술형 풀이를 완성하시오.

1 계산이 틀린 이유를 설명하고, 바르게 고쳐 계산하시오.

$$32 + 100 - 15 \times 4 = 132 - 15 \times 4$$
①
② $= 117 \times 4$
③ $= 468$

➡

$$32 + 100 - 15 \times 4 = 32 + 100 - \boxed{}$$
② ①
③ $= 132 - \boxed{}$
$= \boxed{}$

✏ 덧셈, 뺄셈, 곱셈이 섞여 있는 식은 (덧셈, 뺄셈, 곱셈)을 먼저 계산해야 하는데 앞에서부터 차례로 계산하였습니다.

2 계산이 틀린 이유를 설명하고, 바르게 고쳐 계산하시오.

$$63 \div (7 + 2) - 5 = 9 + 2 - 5$$
①
② $= 11 - 5$
③ $= 6$

➡

$$63 \div (7 + 2) - 5 = 63 \div \boxed{} - 5$$
①
② $= \boxed{} - 5$
③ $= \boxed{}$

✏ (   )가 있고 덧셈, 뺄셈, 나눗셈이 섞여 있는 식은 (   ) 안을 먼저 계산하고,

(나눗셈, 뺄셈)을 계산한 후 (나눗셈, 뺄셈)을 계산해야 하는데 앞에서부터 차례로 계산하였습니다.

1 계산이 <u>틀린</u> 이유를 설명하고, 바르게 고쳐 계산하시오. (4점)

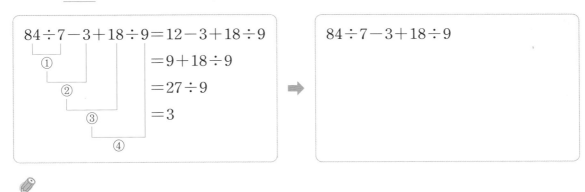

2 계산이 <u>틀린</u> 이유를 설명하고, 바르게 고쳐 계산하시오. (4점)

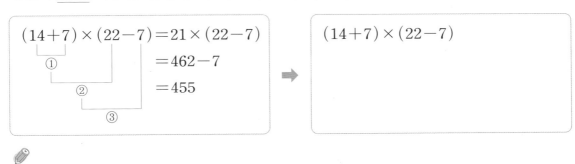

3 계산이 <u>틀린</u> 이유를 설명하고, 바르게 고쳐 계산하시오. (4점)

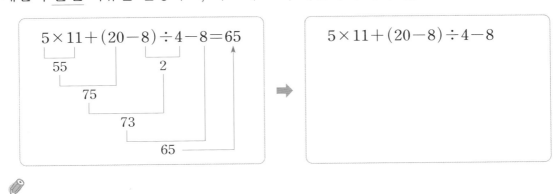

식 1500−(800+450)을 이용하는 문제를 만들고 풀어 보시오. (6점)

서술 길라잡이 ( )가 있는 식에 알맞은 문제를 만듭니다.

✎ [문제] 예 효린이는 문구점에서 800원짜리 연필 한 자루와 450원짜리 지우개 한 개를 사고 1500원을 냈습니다. 거스름돈으로 얼마를 받아야 합니까?

[풀이] 1500−(800+450)=1500−1250=250(원)

답 ___250원___

평가 기준	식에 알맞은 문제를 만든 경우	3점	합 6점
	식을 바르게 계산하여 문제에 알맞은 답을 구한 경우	3점	

서술형 **완성하기**   서술형 풀이를 완성하고 답을 써 보시오.

1 식 28÷4×3을 이용하는 문제를 만들고 풀어 보시오.

✎ [문제] 예 준기네 반 학생은 모두 ☐명입니다. ☐명씩 모둠을 만들어 한 모둠에 귤을 ☐개씩 주려고 합니다. 필요한 귤은 모두 몇 개입니까?

[풀이] 28÷4×3=☐×3=☐(개)

답 _____

2 식 8×6−13+29를 이용하는 문제를 만들고 풀어 보시오.

✎ [문제] 예 주차장에 자동차가 8대씩 ☐줄 주차되어 있었습니다. 잠시 후 ☐대의 자동차가 밖으로 나가고 ☐대의 자동차가 들어왔습니다. 지금 주차장에 있는 자동차는 몇 대입니까?

[풀이] 8×6−13+29=☐−13+29=☐+29=☐(대)

답 _____

3 식 87−(3+4)×10을 이용하는 문제를 만들고 풀어 보시오.

✎ [문제] 예 색종이 ☐장에서 남학생 3명과 여학생 ☐명에게 각각 10장씩 나누어 주었습니다. 남은 색종이는 몇 장입니까?

[풀이] 87−(3+4)×10=87−☐×10=87−☐=☐(장)

답 _____

1 식 32−17+21을 이용하는 문제를 만들고 풀어 보시오. (6점)

✏ [문제]

[풀이]

답 _____

2 식 15÷3+20÷4를 이용하는 문제를 만들고 풀어 보시오. (6점)

✏ [문제]

[풀이]

답 _____

3 식 40÷(16−4−8)을 이용하는 문제를 만들고 풀어 보시오. (6점)

✏ [문제]

[풀이]

답 _____

서술형 탐구

현수네 반은 남학생이 16명, 여학생이 14명입니다. 현수네 반 학생 중에서 형제자매가 있는 학생이 18명이라면 형제자매가 없는 학생은 몇 명인지 하나의 식으로 만들어 구하려고 합니다. 풀이 과정을 쓰고 답을 구하시오. (5점)

서술 길라잡이 현수네 반 전체 학생 수는 (16+14)명입니다.

✎ (형제자매가 없는 학생 수)

= (전체 학생 수) − (형제자매가 있는 학생 수)

= 16 + 14 − 18 = 30 − 18 = 12(명)

따라서 형제자매가 없는 학생은 12명입니다.

답   12명

평가 기준	하나의 식으로 나타낸 경우	2점	합 5점
	식을 바르게 계산하여 답을 구한 경우	3점	

서술형 완성하기   서술형 풀이를 완성하고 답을 써 보시오.

1 규현이네 반 학생 24명은 4명씩 모둠을 만들어 공놀이를 하려고 합니다. 각 모둠에 공을 2개씩 나누어 주려면 공은 모두 몇 개 필요한지 하나의 식으로 만들어 구하려고 합니다. 풀이 과정을 쓰고 답을 구하시오.

✎ (필요한 공의 수)

= (모둠 수) × (한 모둠에 나누어 주려는 공의 수)

= 24 ÷ □ × 2 = □ × 2 = □ (개)

따라서 공은 모두 □ 개 필요합니다.   **답**

2 선아는 어제 5000원을 가지고 한 권에 1000원인 스케치북을 2권 샀습니다. 오늘은 어제 쓰고 남은 돈으로 필통을 사려고 하니 300원이 부족하여 어머니께 300원을 받아 필통을 샀습니다. 선아가 오늘 산 필통은 얼마인지 하나의 식으로 만들어 구하려고 합니다. 풀이 과정을 쓰고 답을 구하시오.

✎ (오늘 산 필통의 값)

= (어제 가지고 있던 돈) − (어제 산 스케치북의 값) + (부족한 돈)

= 5000 − □ × 2 + 300 = 5000 − □ + 300 = □ + 300 = □ (원)

따라서 선아가 오늘 산 필통은 □ 원입니다.   **답**

1 현주는 붙임 딱지를 51장 가지고 있었습니다. 그중에서 24장을 학용품에 붙이고 언니에게 8장을 더 받았습니다. 지금 현주가 가지고 있는 붙임 딱지는 몇 장인지 하나의 식으로 만들어 구하려고 합니다. 풀이 과정을 쓰고 답을 구하시오. (5점)

답 _____

2 비스킷이 한 봉지에 12개씩 들어 있습니다. 이 비스킷을 5봉지 사서 하루에 6개씩 일주일 동안 먹었습니다. 남은 비스킷은 몇 개인지 하나의 식으로 만들어 구하려고 합니다. 풀이 과정을 쓰고 답을 구하시오. (5점)

답 _____

3 윤기는 과일 가게에서 한 개에 850원인 사과 2개와 12개에 7200원인 감 7개를 샀습니다. 모두 얼마를 내야 하는지 하나의 식으로 만들어 구하려고 합니다. 풀이 과정을 쓰고 답을 구하시오. (5점)

답 _____

 서술형 **탐구**

채소 가게에서 어제는 고구마를 37봉지 팔았고 오늘은 29봉지 팔았습니다. 처음 고구마가 82봉지 있었다면 남은 고구마는 몇 봉지인지 (　　)를 사용하여 하나의 식으로 만들어 구하려고 합니다. 풀이 과정을 쓰고 답을 구하시오. (5점)

서술 길라잡이 먼저 판매한 봉지 수부터 구해야 하므로 어제와 오늘 판 고구마 봉지 수의 합을 (　　)를 사용하여 나타냅니다.

✏️ (남은 고구마 봉지 수)

＝(처음에 있었던 고구마 봉지 수)－(판 고구마 봉지 수)

＝82－(37＋29)＝82－66＝16(봉지)

따라서 남은 고구마는 16봉지입니다.

답 16봉지

평가 기준	하나의 식으로 나타낸 경우	2점	합 5점
	식을 바르게 계산하여 답을 구한 경우	3점	

서술형 **완성하기** 서술형 풀이를 완성하고 답을 써 보시오.

1 민주와 친구들은 종이학을 접었습니다. 민주는 126개, 현서는 95개를 접고 지선이는 현서보다 7개 더 적게 접었습니다. 민주는 지선이보다 종이학을 몇 개 더 접었는지 하나의 식으로 만들어 구하려고 합니다. 풀이 과정을 쓰고 답을 구하시오.

✏️ (민주가 접은 종이학 수)－(지선이가 접은 종이학 수)

＝126－(☐－7)＝126－☐＝☐(개)

따라서 민주는 지선이보다 종이학을 ☐개 더 접었습니다. **답**

2 진우는 파란색 구슬 13개와 노란색 구슬 8개를 가지고 있고, 영석이는 진우가 가진 구슬 수의 2배보다 5개 더 많이 가지고 있습니다. 영석이가 가지고 있는 구슬은 몇 개인지 하나의 식으로 만들어 구하려고 합니다. 풀이 과정을 쓰고 답을 구하시오.

✏️ (영석이가 가지고 있는 구슬 수)

＝(진우가 가지고 있는 구슬 수)×2＋5

＝(☐＋8)×2＋5＝☐×2＋5＝☐＋5＝☐(개)

따라서 영석이가 가지고 있는 구슬은 ☐개입니다. **답**

1 효선이네 모둠은 남학생이 3명, 여학생이 2명입니다. 수제 쿠키 20개를 효선이네 모둠 학생들에게 남김없이 똑같이 나누어 준다면 한 사람에게 몇 개씩 나누어 줄 수 있는지 하나의 식으로 만들어 구하려고 합니다. 풀이 과정을 쓰고 답을 구하시오. (5점)

답 ＿＿＿＿＿＿＿＿＿

2 소영이는 10000원을 가지고 편의점에 가서 한 개에 950원인 음료수 3개와 4봉지에 2800원인 라면 3봉지를 샀습니다. 소영이가 음료수와 라면을 사고 남은 돈은 얼마인지 (   )를 사용하여 하나의 식으로 만들어 구하려고 합니다. 풀이 과정을 쓰고 답을 구하시오. (5점)

답 ＿＿＿＿＿＿＿＿＿

3 한 모둠에 학생이 6명씩 있습니다. 풍선 36개가 있었는데 한 사람당 한 개씩 모두 3모둠에 나누어 주고 5개는 불량품이어서 버렸습니다. 남은 풍선은 몇 개인지 하나의 식으로 만들어 구하려고 합니다. 풀이 과정을 쓰고 답을 구하시오. (5점)

답 ＿＿＿＿＿＿＿＿＿

서술형 탐구

그림과 같이 구슬을 놓으려고 합니다. 처음부터 네 번째까지 놓이는 구슬을 모두 더하면 몇 개인지 풀이 과정을 쓰고 답을 구하시오. (5점)

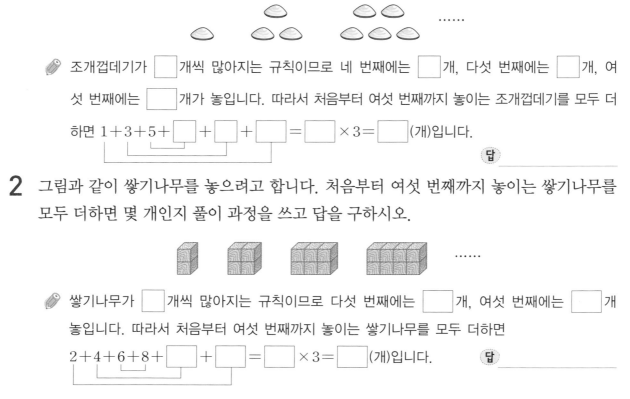

서술 길라잡이 먼저 구슬을 어떤 규칙으로 놓았는지 알아봅니다.

✏️ 구슬이 2개씩 많아지는 규칙이므로 네 번째에는 $5+2=7$(개) 놓입니다.

따라서 처음부터 네 번째까지 놓이는 구슬을 모두 더하면 $1+3+5+7=8×2=16$(개)입니다.

답 _____16개_____

평가 기준	구슬이 놓인 규칙을 바르게 설명한 경우	2점	합 5점
	처음부터 네 번째까지 놓이는 구슬 수의 합을 구한 경우	3점	

서술형 완성하기
서술형 풀이를 완성하고 답을 써 보시오.

1 그림과 같이 조개껍데기를 놓으려고 합니다. 처음부터 여섯 번째까지 놓이는 조개껍데기를 모두 더하면 몇 개인지 풀이 과정을 쓰고 답을 구하시오.

✏️ 조개껍데기가 ☐개씩 많아지는 규칙이므로 네 번째에는 ☐개, 다섯 번째에는 ☐개, 여섯 번째에는 ☐개가 놓입니다. 따라서 처음부터 여섯 번째까지 놓이는 조개껍데기를 모두 더하면 $1+3+5+☐+☐+☐=☐×3=☐$(개)입니다.

답 _____

2 그림과 같이 쌓기나무를 놓으려고 합니다. 처음부터 여섯 번째까지 놓이는 쌓기나무를 모두 더하면 몇 개인지 풀이 과정을 쓰고 답을 구하시오.

✏️ 쌓기나무가 ☐개씩 많아지는 규칙이므로 다섯 번째에는 ☐개, 여섯 번째에는 ☐개 놓입니다. 따라서 처음부터 여섯 번째까지 놓이는 쌓기나무를 모두 더하면 $2+4+6+8+☐+☐=☐×3=☐$(개)입니다. **답** _____

1 그림과 같이 구슬을 놓으려고 합니다. 처음부터 네 번째까지 놓이는 구슬을 모두 더하면 몇 개인지 풀이 과정을 쓰고 답을 구하시오. (5점)

답 _____

2 그림과 같이 공깃돌을 놓으려고 합니다. 처음부터 여섯 번째까지 놓이는 공깃돌을 모두 더하면 몇 개인지 풀이 과정을 쓰고 답을 구하시오. (5점)

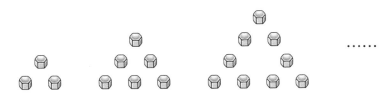

답 _____

3 그림과 같이 10원짜리 동전을 놓으려고 합니다. 처음부터 여섯 번째까지 놓인 동전의 금액은 모두 얼마인지 풀이 과정을 쓰고 답을 구하시오. (6점)

답 _____

서술형 탐구

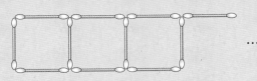

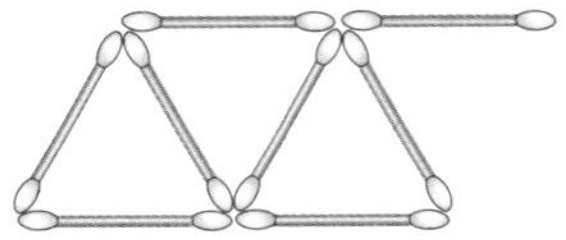

서술형 정복하기

1 그림과 같이 면봉으로 변이 5개인 도형을 만들었습니다. 변이 5개인 도형을 7개 만드는 데 필요한 면봉은 모두 몇 개인지 풀이 과정을 쓰고 답을 구하시오. (5점)

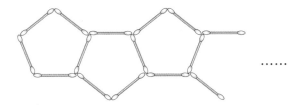

답 _____

[2~3] 그림과 같이 면봉으로 정사각형을 만들었습니다. 물음에 답하시오.

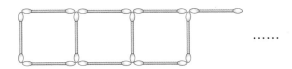

2 정사각형을 12개 만드는 데 필요한 면봉은 모두 몇 개인지 풀이 과정을 쓰고 답을 구하시오. (5점)

답 _____

3 면봉 61개로 만들 수 있는 정사각형은 몇 개인지 풀이 과정을 쓰고 답을 구하시오. (6점)

답 _____

 계산이 <u>틀린</u> 이유를 설명하고, 바르게 고쳐 계산하시오. (4점)

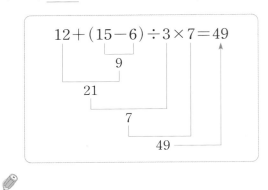

$$12+(15-6)\div3\times7$$

 식 $(12\times3-8)\div2$를 이용하는 문제를 만들고 풀어 보시오. (6점)

 [문제]

[풀이]

답 _____

 강당에 4학년 학생이 67명, 5학년 학생이 98명 있습니다. 남학생이 74명이라면 여학생은 몇 명인지 하나의 식으로 만들어 구하려고 합니다. 풀이 과정을 쓰고 답을 구하시오. (5점)

답 _____

4 연필이 16타 있습니다. 그중에서 36자루는 남겨 두고 나머지를 여학생 8명과 남학생 4명에게 남김없이 똑같이 나누어 주려고 합니다. 한 사람에게 몇 자루씩 나누어 주면 되는지 하나의 식으로 만들어 구하려고 합니다. 풀이 과정을 쓰고 답을 구하시오. (5점)

답 _____

 5 그림과 같이 규칙적으로 공을 놓았습니다. 처음부터 여섯 번째까지 놓이는 공을 모두 더하면 몇 개인지 풀이 과정을 쓰고 답을 구하시오. (5점)

답 _____

 6 그림과 같이 면봉으로 정삼각형을 만들었습니다. 정삼각형을 20개 만드는 데 필요한 면봉은 모두 몇 개인지 풀이 과정을 쓰고 답을 구하시오. (5점)

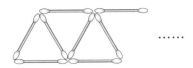

답 _____

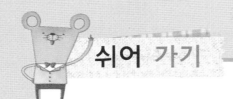

천재 수학자 가우스

간단해요!
1과 100을 더하면 101,
2와 99를 더하면 101, …
이런식으로 101이 50번이 나오니
101×50＝5050이 되는거죠!

② 약수와 배수

12가 48의 약수임을 2가지 방법으로 설명하시오. (4점)

서술 길라잡이 어떤 수의 약수는 어떤 수를 나누어떨어지게 하는 수를 찾거나 두 수의 곱으로 나타내어 구할 수 있습니다.

✏️ [방법 1] 48÷12＝4로 48이 12로 나누어떨어지므로 12는 48의 약수입니다.
[방법 2] 12×4＝48이므로 12는 48의 약수입니다.

평가 기준 1가지 방법을 설명할 때마다 2점씩 배점하여 총 4점이 되도록 평가합니다. 합 4점

서술형 완성하기 빈칸을 채우며 서술형 풀이를 완성하시오.

1 9가 72의 약수임을 2가지 방법으로 설명하시오.

✏️ [방법 1] ☐÷9＝☐로 72가 ☐로 나누어떨어지므로 9는 72의 약수입니다.
[방법 2] 9×☐＝72이므로 9는 72의 약수입니다.

2 20과 16의 최대공약수는 4임을 2가지 방법으로 설명하시오.

✏️ [방법 1] 20의 약수는 1, ☐, ☐, 5, 10, 20이고, 16의 약수는 1, ☐, 4, ☐, 16입니다.
따라서 공약수는 1, ☐, ☐이고, 최대공약수는 ☐입니다.
[방법 2] 20＝☐×2×☐이고, 16＝2×☐×☐×2이므로
최대공약수는 ☐×2＝☐입니다.

3 4와 6의 최소공배수는 12임을 2가지 방법으로 설명하시오.

✏️ [방법 1] 4의 배수는 4, ☐, ☐, 16, 20, ☐, ……이고, 6의 배수는 6, ☐, 18, ☐, ……입니다. 따라서 공배수는 ☐, 24, ……이고, 최소공배수는 ☐입니다.
[방법 2] ☐)4 6 ➡ 4와 6의 최소공배수는 ☐×2×3＝☐입니다.
   2 3

1 14가 168의 약수임을 2가지 방법으로 설명하시오. (4점)

[방법 1]

[방법 2]

2 18과 30의 최대공약수는 6임을 2가지 방법으로 설명하시오. (4점)

[방법 1]

[방법 2]

3 9와 15의 최소공배수는 45임을 2가지 방법으로 설명하시오. (4점)

[방법 1]

[방법 2]

어떤 수의 배수를 가장 작은 자연수부터 쓴 것입니다. 아홉 번째 수를 구하는 풀이 과정을 쓰고 답을 구하시오. (4점)

$$4, \ 8, \ 12, \ 16, \ \cdots\cdots$$

서술 길라잡이 어떤 수의 배수는 어떤 수를 1배, 2배, 3배, …… 한 수입니다.

✏️ 4의 배수들을 가장 작은 자연수부터 나열한 것입니다.

따라서 아홉 번째 수는 4를 9배 한 수인 $4 \times 9 = 36$입니다.

답 _____36_____

평가 기준	4의 배수임을 알아낸 경우	2점	합 4점
	아홉 번째 수를 구한 경우	2점	

서술형 완성하기

빈칸을 채우며 서술형 풀이를 완성하고 답을 쓰시오.

1 어떤 수의 배수를 가장 작은 자연수부터 쓴 것입니다. 열세 번째 수를 구하는 풀이 과정을 쓰고 답을 구하시오.

$$5, \ 10, \ 15, \ 20, \ \cdots\cdots$$

✏️ ⬜의 배수들을 가장 작은 자연수부터 나열한 것입니다.

따라서 열세 번째 수는 ⬜를 13배 한 수인 ⬜ × ⬜ = ⬜입니다.

답 _____

2 어떤 수의 배수를 가장 작은 자연수부터 쓴 것입니다. 열두 번째 수를 구하는 풀이 과정을 쓰고 답을 구하시오.

$$7, \ 14, \ 21, \ 28, \ \cdots\cdots$$

✏️ ⬜의 배수들을 가장 작은 자연수부터 나열한 것입니다.

따라서 열두 번째 수는 ⬜을 12배 한 수인 ⬜ × ⬜ = ⬜입니다.

답 _____

1 어떤 수의 배수를 가장 작은 자연수부터 쓴 것입니다. 열다섯 번째 수를 구하는 풀이 과정을 쓰고 답을 구하시오. (4점)

> 9, 18, 27, 36, ……

답 _____

2 어떤 수의 배수를 가장 작은 자연수부터 쓴 것입니다. 열일곱 번째 수를 구하는 풀이 과정을 쓰고 답을 구하시오. (4점)

> 12, 24, 36, 48, ……

답 _____

3 어떤 수의 배수를 가장 작은 자연수부터 쓴 것입니다. 120은 몇 번째 수인지 풀이 과정을 쓰고 답을 구하시오. (5점)

> 8, 16, 24, 32, ……

답 _____

어느 고속버스터미널에서 대전행은 4분마다, 대구행은 5분마다 출발한다고 합니다. 오전 9시에 대전행과 대구행이 동시에 출발하였다면 다음 번에 동시에 출발하는 시각은 몇 시 몇 분인지 풀이 과정을 쓰고 답을 구하시오. (4점)

서술 길라잡이 두 고속버스가 동시에 출발하는 시각은 4와 5의 공배수입니다.

🖉 두 고속버스는 4와 5의 최소공배수인 20분마다 동시에 출발합니다.

따라서 다음 번에 동시에 출발하는 시각은 오전 9시에서 20분 후인 오전 9시 20분입니다.

답 오전 9시 20분

평가기준	4와 5의 최소공배수를 구한 경우	2점	합 4점
	다음 번에 동시에 출발하는 시각을 구한 경우	2점	

서술형 완성하기
빈칸을 채우며 서술형 풀이를 완성하고 답을 쓰시오.

1 연필 36자루, 지우개 54개를 최대한 많은 학생에게 남김없이 똑같이 나누어 주려고 합니다. 몇 명에게 나누어 줄 수 있는지 풀이 과정을 쓰고 답을 구하시오.

🖉 연필과 지우개를 최대한 많은 학생에게 남김없이 똑같이 나누어 주려면 36과 54의 최대공약수를 구합니다.

따라서 36과 54의 최대공약수는 ☐ 이므로 ☐ 명에게 나누어 줄 수 있습니다.

답 _____

2 어느 여객선터미널에서 목포행은 20분마다, 군산행은 25분마다 출발한다고 합니다. 오전 8시에 목포행과 군산행이 동시에 출발하였다면 다음 번에 동시에 출발하는 시각은 언제인지 풀이 과정을 쓰고 답을 구하시오.

🖉 두 여객선은 20과 25의 최소공배수인 ☐ 분마다 동시에 출발합니다.

따라서 다음 번에 동시에 출발하는 시각은 오전 8시부터 ☐ 분 후인

오전 ☐ 시 ☐ 분입니다.

답 _____

1 길이가 32 cm와 48 cm인 두 색 테이프를 똑같은 길이로 남김없이 자르려고 합니다. 한 도막의 길이를 될 수 있는 대로 길게 하려면 몇 cm씩 잘라야 하는지 풀이 과정을 쓰고 답을 구하시오. (4점)

답 _____

2 버스 종점에서 기차역으로 가는 버스는 10분마다, 시청으로 가는 버스는 15분마다 출발한다고 합니다. 오전 8시 10분에 동시에 출발하였다면 다음 번에 동시에 출발하는 시각은 몇 시 몇 분인지 풀이 과정을 쓰고 답을 구하시오. (4점)

답 _____

3 엘리베이터 ㉮와 ㉯가 있습니다. 안전 검사를 ㉮는 6개월마다, ㉯는 9개월마다 실시합니다. 올해 1월에 두 엘리베이터를 함께 검사하였다면 다음 번에 두 엘리베이터를 동시에 검사하는 달은 내년 몇 월인지 풀이 과정을 쓰고 답을 구하시오. (5점)

답 _____

다음 3가지 조건을 모두 만족하는 수는 얼마인지 풀이 과정을 쓰고 답을 구하시오. (5점)

> • 36의 약수입니다.
> • 12의 약수가 아닙니다.
> • 가장 높은 자리의 숫자는 1입니다.

서술 길라잡이 36과 12를 나누어떨어지게 하는 수를 각각 알아본 후 조건에 맞는 수를 찾아봅니다.

✎ 36의 약수는 1, 2, 3, 4, 6, 9, 12, 18, 36이고, 12의 약수는 1, 2, 3, 4, 6, 12입니다.

36의 약수이면서 12의 약수가 아닌 수 9, 18, 36 중에서 가장 높은 자리의 숫자가 1인 수는 18입니다.

따라서 조건을 모두 만족하는 수는 18입니다.

답 ____18____

평가 기준	36의 약수를 구한 경우	2점	합 5점
	12의 약수를 구한 경우	2점	
	조건을 모두 만족하는 수를 구한 경우	1점	

서술형 완성하기 빈칸을 채우며 서술형 풀이를 완성하고 답을 쓰시오.

1 다음 3가지 조건을 모두 만족하는 수는 얼마인지 풀이 과정을 쓰고 답을 구하시오.

> • 30의 약수입니다.
> • 20의 약수가 아닙니다.
> • 가장 높은 자리의 숫자는 1입니다.

✎ 30의 약수는 1, 2, ☐, 5, 6, ☐, ☐, 30이고, 20의 약수는 1, 2, 4, ☐, ☐, 20 입니다.

30의 약수이면서 20의 약수가 아닌 수 3, ☐, ☐, 30 중에서 가장 높은 자리의 숫자가

1인 수는 ☐입니다.

따라서 조건을 모두 만족하는 수는 ☐입니다.

답 _____

1 다음 3가지 조건을 모두 만족하는 수는 얼마인지 풀이 과정을 쓰고 답을 구하시오. (5점)

> • 21의 약수입니다.
> • 60의 약수가 아닙니다.
> • 한 자리 수입니다.

답 _____

2 다음 3가지 조건을 모두 만족하는 수는 얼마인지 풀이 과정을 쓰고 답을 구하시오. (5점)

> • 84의 약수입니다.
> • 28의 약수가 아닙니다.
> • 가장 높은 자리의 숫자는 2입니다.

답 _____

3 다음 3가지 조건을 모두 만족하는 수는 얼마인지 풀이 과정을 쓰고 답을 구하시오. (5점)

> • 40의 약수입니다.
> • 8의 약수가 아닙니다.
> • 홀수입니다.

답 _____

6의 배수인 어떤 수가 있습니다. 이 수의 약수들을 모두 더하였더니 28이 되었습니다. 어떤 수는 얼마인지 풀이 과정을 쓰고 답을 구하시오. (5점)

서술 길라잡이 6을 1배, 2배, 3배, …… 한 수 중에서 약수들의 합이 28이 되는 경우를 찾아봅니다.

6의 배수는 6, 12, 18, 24, ……입니다.

6의 약수는 1, 2, 3, 6이고 합은 12이므로 조건에 맞지 않습니다.

12의 약수는 1, 2, 3, 4, 6, 12이고 합은 28이므로 조건에 맞습니다.

따라서 어떤 수는 12입니다.

답　　　12

평가 기준	6의 배수를 구한 경우	2점	합 5점
	6의 배수들의 약수를 구하여 조건에 맞는지 확인한 경우	2점	
	어떤 수를 구한 경우	1점	

서술형 완성하기

빈칸을 채우며 서술형 풀이를 완성하고 답을 쓰시오.

1 7의 배수인 어떤 수가 있습니다. 이 수의 약수들을 모두 더하였더니 24가 되었습니다. 어떤 수는 얼마인지 풀이 과정을 쓰고 답을 구하시오.

7의 배수는 7, ☐, 21, ☐, ……입니다.

7의 약수는 1, ☐이고 합은 ☐이므로 조건에 맞지 않습니다.

☐의 약수는 1, 2, ☐, ☐이고 합은 24이므로 조건에 맞습니다.

따라서 어떤 수는 ☐입니다.

답　　　

2 5의 배수인 어떤 수가 있습니다. 이 수의 약수들을 모두 더하였더니 18이 되었습니다. 어떤 수는 얼마인지 풀이 과정을 쓰고 답을 구하시오.

5의 배수는 5, ☐, ☐, 20, ……입니다.

5의 약수는 1, ☐이고 합은 ☐이므로 조건에 맞지 않습니다.

☐의 약수는 1, ☐, ☐, 10이고 합은 18이므로 조건에 맞습니다.

따라서 어떤 수는 ☐입니다.

답

1 3의 배수인 어떤 수가 있습니다. 이 수의 약수들을 모두 더하였더니 13이 되었습니다. 어떤 수는 얼마인지 풀이 과정을 쓰고 답을 구하시오. (5점)

답 _____

2 8의 배수인 어떤 수가 있습니다. 이 수의 약수들을 모두 더하였더니 31이 되었습니다. 어떤 수는 얼마인지 풀이 과정을 쓰고 답을 구하시오. (5점)

답 _____

3 15의 배수인 어떤 수가 있습니다. 이 수의 약수들을 모두 더하였더니 72가 되었습니다. 어떤 수는 얼마인지 풀이 과정을 쓰고 답을 구하시오. (5점)

답 _____

28과 43을 각각 어떤 수로 나누면 나머지가 3입니다. 어떤 수는 얼마인지 풀이 과정을 쓰고 답을 구하시오. (5점)

서술 길라잡이 두 수를 모두 나누어떨어지게 하는 수는 두 수의 공약수입니다.

🖉 28－3＝25와 43－3＝40을 어떤 수로 나누면 모두 나누어떨어지므로

어떤 수는 25와 40의 공약수 중에서 나머지 3보다 큰 수입니다.

따라서 25와 40의 공약수는 1, 5이므로 어떤 수는 5입니다.

답 ____5____

평가 기준	어떤 수의 조건을 안 경우	2점	합 5점
	25와 40의 공약수를 구한 경우	2점	
	어떤 수를 구한 경우	1점	

서술형 완성하기

빈칸을 채우며 서술형 풀이를 완성하고 답을 쓰시오.

1 39와 46을 각각 어떤 수로 나누면 나머지가 4입니다. 어떤 수는 얼마인지 풀이 과정을 쓰고 답을 구하시오.

🖉 39－4＝☐와 46－4＝☐를 어떤 수로 나누면 모두 나누어떨어지므로

어떤 수는 ☐와 ☐의 공약수 중에서 나머지 4보다 큰 수입니다.

따라서 ☐와 ☐의 공약수는 1, ☐이므로 어떤 수는 ☐입니다.

답 _____

2 35를 어떤 수로 나누면 나머지가 3이고, 61을 어떤 수로 나누면 나머지가 5입니다. 어떤 수는 얼마인지 풀이 과정을 쓰고 답을 구하시오.

🖉 35－3＝☐와 61－5＝☐을 어떤 수로 나누면 모두 나누어떨어지므로

어떤 수는 ☐와 ☐의 공약수 중에서 나머지 5보다 큰 수입니다.

따라서 ☐와 ☐의 공약수는 1, 2, ☐, ☐이므로 어떤 수는 ☐입니다.

답 _____

1 31과 49를 각각 어떤 수로 나누면 나머지가 4입니다. 어떤 수는 얼마인지 풀이 과정을 쓰고 답을 구하시오. (5점)

답 _____

2 41을 어떤 수로 나누면 나머지가 5이고, 45를 어떤 수로 나누면 나머지가 3입니다. 어떤 수는 얼마인지 풀이 과정을 쓰고 답을 구하시오. (5점)

답 _____

3 29를 어떤 수로 나누면 나머지가 1이고, 35를 어떤 수로 나누면 나머지가 3입니다. 어떤 수는 얼마인지 풀이 과정을 쓰고 답을 구하시오. (5점)

답 _____

 1 12와 15의 최소공배수는 60임을 2가지 방법으로 설명하시오. (4점)

 [방법 1]

[방법 2]

 2 어떤 수의 배수를 가장 작은 자연수부터 쓴 것입니다. 18번째 수와 21번째 수의 합은 얼마인지 풀이 과정을 쓰고 답을 구하시오. (5점)

> 6, 12, 18, 24, ······

답 _____

 3 가로가 16 cm, 세로가 20 cm인 직사각형 모양의 종이가 있습니다. 이 종이를 남는 부분 없이 잘라 가장 큰 정사각형을 여러 장 만들려고 합니다. 모두 몇 장 만들 수 있는지 풀이 과정을 쓰고 답을 구하시오. (5점)

답 _____

4 다음 3가지 조건을 모두 만족하는 수는 몇 개인지 풀이 과정을 쓰고 답을 구하시오. (5점)

> • 90의 약수입니다.
> • 45의 약수가 아닙니다.
> • 18의 배수입니다.

답  _____

5 14의 배수인 어떤 수가 있습니다. 이 수의 약수들을 모두 더하였더니 96이 되었습니다. 어떤 수는 얼마인지 풀이 과정을 쓰고 답을 구하시오. (5점)

답 _____

6 59를 어떤 수로 나누면 나머지가 3이고, 75를 어떤 수로 나누면 나머지가 5입니다. 어떤 수 중에서 가장 큰 수는 얼마인지 풀이 과정을 쓰고 답을 구하시오. (5점)

답 _____

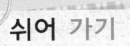

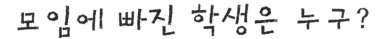

모임에 빠진 학생은 누구?

네 명의 학생이 함께 모여 수학 공부를 하기로 했어요.
그런데 모여서 수학 공부를 한 학생은 3명뿐이었다네요.
네 명의 학생 중 단 한 명만 옳은 말을 하고 있는거라면,
모임에 빠진 학생은 누구일까요?

동국이가 빠졌어요.

이안이가 빠진 거예요.

나는 안빠졌어요.

동국이가 한 말은 거짓말이에요.

아라   동국   영옥   이안

🌟 차근차근 생각하기

아라가 불참인 경우 : 영옥이와 이안이의 말이 사실
동국이가 불참인 경우 : 동국이의 말만 거짓
영옥이가 불참인 경우 : 이안이의 말만 사실
이안이가 불참인 경우 : 동국이와 영옥이의 말이 사실
따라서 모임에 불참한 학생은 영옥이입니다.

3 규칙과 대응

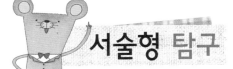

서술형 탐구

♡와 ♠ 사이의 대응 관계를 설명하고 식으로 나타내어 보시오. (4점)

♡	3	6	9	12	15	18
♠	1	2	3	4	5	6

서술 길라잡이 ♡와 ♠ 사이의 공통된 규칙을 알아봅니다.

✏️ ♡가 3일 때 ♠는 1, ♡가 6일 때 ♠는 2, ……이므로 ♠는 ♡를 3으로 나눈 몫입니다.

따라서 ♡와 ♠ 사이의 대응 관계를 식으로 나타내면 ♠ = ♡ ÷ 3입니다.

답 예 ♠ = ♡ ÷ 3

평가 기준	대응 관계를 바르게 설명한 경우	2점	합 4점
	대응 관계를 식으로 알맞게 나타낸 경우	2점	

서술형 완성하기 서술형 풀이를 완성하고 답을 써 보시오.

1 ■와 △ 사이의 대응 관계를 설명하고 식으로 나타내어 보시오.

■	6	7	8	9	10	……
△		2	3		5	……

✏️ ■가 7일 때 △는 ☐ , ■가 8일 때 △는 ☐ , ……이므로 △는 ■보다 ☐ 작습니다.

따라서 ■와 △ 사이의 대응 관계를 식으로 나타내면 △ = ■ − ☐ 입니다.

답 _____

2 빈칸에 알맞은 수를 써넣고 ▼와 ⊙ 사이의 대응 관계를 식으로 나타내려고 합니다. 풀이 과정을 쓰고 답을 구하시오.

▼	0	1	2	3	4	……	14	15
⊙	15	14	13	☐	☐	……	☐	☐

✏️ 0 + 15 = ☐ , 1 + 14 = ☐ , ……이므로 ▼와 ⊙의 합은 ☐ 입니다.

따라서 ▼와 ⊙ 사이의 대응 관계를 식으로 나타내면 ⊙ = ☐ − ▼ 입니다.

답 _____

1 ★과 ● 사이의 대응 관계를 설명하고 식으로 나타내시오. (4점)

★	4	5	6	7	8	9
●	17	18	19	20	21	22

답 _____

2 △와 ◈ 사이의 대응 관계를 설명하고 식으로 나타내시오. (4점)

△	1	2	3	4	5	……
◈	9		27	36		……

답 _____

3 빈칸에 알맞은 수를 써넣고 ♡와 ♣ 사이의 대응 관계를 식으로 나타내려고 합니다. 풀이 과정을 쓰고 답을 구하시오. (5점)

♡	1	2	3	4	5	6	7
♣	42		40	39			

답 _____

서술형 탐구

꽃병 한 개에 장미가 20송이씩 꽂혀 있습니다. 꽃병의 수와 장미의 수 사이에는 어떤 대응 관계가 있는지 설명하고 꽃병의 수를 □, 장미의 수를 ●라고 할 때 □와 ● 사이의 대응 관계를 식으로 나타내어 보시오. (4점)

서술 길라잡이 표를 만들어 꽃병의 수와 장미의 수 사이의 대응 관계를 먼저 알아봅니다.

꽃병의 수(개)	1	2	3	4	5	6
장미의 수(송이)	20	40	60	80	100	120

장미의 수는 꽃병의 수의 20배입니다. 따라서 □와 ● 사이의 대응 관계를 식으로 나타내면 ●=□×20입니다.

답 예 ●=□×20

평가 기준	대응 관계를 바르게 설명한 경우	2점	합 4점
	대응 관계를 식으로 알맞게 나타낸 경우	2점	

서술형 완성하기

서술형 풀이를 완성하고 답을 써 보시오.

1 지혜의 나이가 10살일 때 언니의 나이는 14살이었습니다. 지혜의 나이와 언니의 나이 사이에는 어떤 대응 관계가 있는지 설명하고 지혜의 나이를 ♣, 언니의 나이를 ♡라 할 때 ♣와 ♡ 사이의 대응 관계를 식으로 나타내어 보시오.

지혜의 나이(살)	10	11	12	13	14	……
언니의 나이(살)	14					……

언니의 나이는 지혜의 나이보다 ☐살 많습니다. 따라서 ♣와 ♡ 사이의 관계를 식으로 나타내면 ♡=♣+☐입니다.

답 _____

2 색 테이프를 가위로 자르고 있습니다. 색 테이프를 자른 횟수와 색 테이프 도막의 수 사이에는 어떤 대응 관계가 있는지 설명하고 두 수 사이의 대응 관계를 식으로 나타내어 보시오.

자른 횟수(번)	1	2	3	4	5	6
도막의 수(도막)	2	3	4			

색 테이프 도막의 수는 자른 횟수보다 ☐ 많습니다. 따라서 자른 횟수와 색 테이프 도막의 수 사이의 관계를 식으로 나타내면 (색 테이프 도막의 수)=(자른 횟수)+☐입니다.

답 _____

1 한초는 문구점에서 연필을 샀습니다. 연필 한 타에는 연필이 12자루씩 들어 있습니다. 연필의 타 수와 연필의 수 사이에는 어떤 대응 관계가 있는지 설명하고 연필의 타 수를 ◆, 연필의 수를 □라고 할 때 ◆와 □ 사이의 대응 관계를 식으로 나타내어 보시오. (4점)

답 _____

2 빈칸을 완성하고 서울과 밀라노의 시각 사이의 관계를 식으로 나타내려고 합니다. 서울과 밀라노의 시각 사이에는 어떤 대응 관계가 있는지 설명하고 답을 구하시오. (5점)

서울	오전 9시	오전 10시		낮 12시	오후 1시	오후 2시
밀라노	오전 1시	오전 2시	오전 3시			오전 6시

답 _____

3 폴라로이드 사진을 누름 못을 사용하여 다음과 같이 게시판에 붙이려고 합니다. 사진의 수와 누름 못의 수 사이에는 어떤 대응 관계가 있는지 설명하고 사진의 수를 ♤, 누름 못의 수를 ◉라고 할 때 ♤와 ◉ 사이의 대응 관계를 식으로 나타내어 보시오. (4점)

답 _____

사과 모양의 붙임 딱지를 그림과 같이 붙이고 있습니다. 가로에 놓인 붙임 딱지의 수를 □, 전체 붙임 딱지의 수를 ◉라 합니다. 가로에 놓인 붙임 딱지가 15장일 때 전체 붙임 딱지는 몇 장이 되는지 □와 ◉ 사이의 대응 관계를 이용하여 풀이 과정을 쓰고 답을 구하시오. (6점)

서술 길라잡이 먼저 표를 만들어 □와 ◉ 사이의 대응 관계를 알아보고 식으로 나타내어 봅니다.

가로에 놓인 붙임 딱지의 수(□)	1	2	3	4	……
전체 붙임 딱지의 수(◉)	3	6	9	12	……

전체 붙임 딱지의 수는 가로에 놓인 붙임 딱지 수의 3배이므로 ◉＝□×3입니다.

따라서 가로에 놓인 붙임 딱지가 15장일 때 전체 붙임 딱지의 수는 15×3＝45(장)입니다.

답 ___45장___

평가기준	□와 ◉ 사이의 대응 관계를 식으로 바르게 나타낸 경우	3점	**합**
	□와 ◉ 사이의 대응 관계를 이용하여 답을 구한 경우	3점	**6점**

서술형 완성하기 서술형 풀이를 완성하고 답을 써 보시오.

1 한 변이 1 cm인 정사각형을 그림과 같이 계속 놓고 있습니다. 한 변에 있는 작은 정사각형의 개수를 ■, 가장 큰 정사각형의 네 변의 길이의 합을 ◎라 합니다. 한 변에 있는 작은 정사각형이 20개일 때 가장 큰 정사각형의 네 변의 길이의 합은 몇 cm인지 ■와 ◎의 대응 관계를 이용하여 풀이 과정을 쓰고 답을 구하시오.

한 변에 있는 작은 정사각형의 개수(■)	1	2	3	4	……
가장 큰 정사각형의 네 변의 길이의 합(◎)					……

가장 큰 정사각형의 네 변의 길이의 합이 한 변에 있는 작은 정사각형의 개수의 ☐배이므로

◎＝■×☐입니다. 따라서 한 변에 있는 작은 정사각형이 20개일 때 가장 큰 정사각형의

네 변의 길이의 합은 20×☐＝☐(cm)입니다. **답** _____

서술형 정복하기

1 한 변이 2cm인 정삼각형을 그림과 같이 계속 놓고 있습니다. 한 변에 있는 작은 정삼각형의 개수를 ♤, 가장 큰 정삼각형의 세 변의 길이의 합을 ●라 합니다. 한 변에 있는 작은 정삼각형이 10개일 때 가장 큰 정삼각형의 세 변의 길이의 합은 몇 cm인지 ♤와 ●의 대응 관계를 이용하여 풀이 과정을 쓰고 답을 구하시오. (6점)

답 _____

2 동현이는 면봉을 사용하여 다음과 같은 방법으로 정삼각형 모양의 탑을 쌓고 있습니다. 동현이가 사용한 면봉의 수를 ■, 쌓은 탑의 층수를 ▽라 합니다. 동현이가 탑을 8층까지 쌓으려면 면봉은 모두 몇 개 필요한지 ■와 ▽의 대응 관계를 이용하여 풀이 과정을 쓰고 답을 구하시오. (6점)

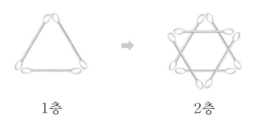

1층   2층

답 _____

1 ○와 ◆ 사이의 대응 관계를 설명하고 식으로 나타내어 보시오. (4점)

○	5	6	7	8	9
◆	9	10	11	12	13

 답 _____

2 빈칸에 알맞은 수를 써넣고 □와 △ 사이의 대응 관계를 식으로 나타내려고 합니다. 풀이 과정을 쓰고 답을 구하시오. (5점)

□	1	2	3	4	5	
△	7	14	21			42

답 _____

3 희주는 구슬을 12개씩 꿰어 팔찌를 만들고 있습니다. 구슬의 수와 팔찌의 수 사이에는 어떤 대응 관계가 있는지 설명하고 구슬의 수를 ▲, 팔찌의 수를 ♥라고 할 때 ▲와 ♥ 사이의 대응 관계를 식으로 나타내어 보시오. (4점)

 답 _____

4 그림과 같이 달걀 한 판에는 10개의 달걀이 있습니다. 달걀판의 수를 □, 달걀의 수를 △라 할 때 달걀이 80개이면 달걀판은 몇 개인지 □와 △ 사이의 대응 관계를 이용하여 풀이 과정을 쓰고 답을 구하시오. (6점)

답 _____

5 소라는 쌓기나무로 다음과 같은 방법으로 모양의 탑을 쌓고 있습니다. 소라가 사용한 쌓기나무의 수를 ♧, 쌓은 탑의 층수를 ♣라 합니다. 소라가 쌓기나무를 65개 사용하면 몇 층탑을 만들 수 있는지 ♧와 ♣의 대응 관계를 이용하여 풀이 과정을 쓰고 답을 구하시오. (6점)

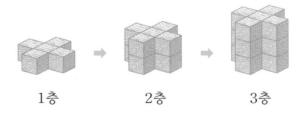

1층   2층   3층

답 _____

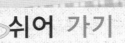

5개의 정사각형을 3개의 정사각형으로 만들기

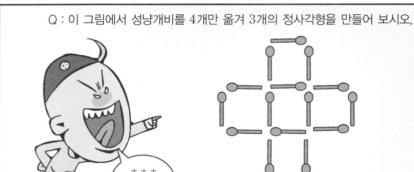

Q : 이 그림에서 성냥개비를 4개만 옮겨 3개의 정사각형을 만들어 보시오.

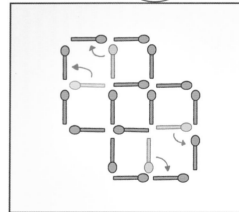

4 약분과 통분

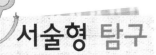

$\dfrac{3}{5}$은 $\dfrac{6}{10}$과 크기가 같습니다. 그 이유를 2가지 방법으로 설명하시오. (4점)

서술 길라잡이 그림을 그리거나 분모와 분자에 0이 아닌 같은 수를 곱하여 크기가 같은 분수를 알 수 있습니다.

[방법 1] 그림을 그려서 주어진 분수만큼 색칠해 봅니다.

$\dfrac{3}{5}$ 색칠한 부분이 서로 똑같으므로 $\dfrac{3}{5}$은 $\dfrac{6}{10}$과 크

$\dfrac{6}{10}$ 기가 같습니다.

[방법 2] $\dfrac{3}{5}$의 분모와 분자에 2를 곱하면 $\dfrac{3}{5} = \dfrac{3 \times 2}{5 \times 2} = \dfrac{6}{10}$이므로 $\dfrac{3}{5}$은 $\dfrac{6}{10}$과 크기가 같습니다.

평가 기준 1가지 방법을 설명할 때마다 2점씩 배점하여 총 4점이 되도록 평가합니다. | 합 4점

서술형 완성하기   빈칸을 채우며 서술형 풀이를 완성하시오.

1 $\dfrac{1}{3}$은 $\dfrac{3}{9}$과 크기가 같습니다. 그 이유를 2가지 방법으로 설명하시오.

[방법 1] 그림을 그려서 주어진 분수만큼 색칠해 봅니다.

$\dfrac{1}{3}$ 색칠한 부분이 서로 똑같으므로 $\dfrac{1}{3}$은 $\dfrac{3}{9}$과

$\dfrac{3}{9}$ 크기가 같습니다.

[방법 2] $\dfrac{1}{3}$의 분모와 분자에 $\boxed{}$을 곱하면 $\dfrac{1}{3} = \dfrac{1 \times \boxed{}}{3 \times \boxed{}} = \dfrac{3}{9}$이므로 $\dfrac{1}{3}$은 $\dfrac{3}{9}$과 크기가

같습니다.

2 $\dfrac{6}{14}$은 $\dfrac{3}{7}$과 크기가 같습니다. 그 이유를 2가지 방법으로 설명하시오.

[방법 1] 그림을 그려서 주어진 분수만큼 색칠해 봅니다.

$\dfrac{6}{14}$ 색칠한 부분이 서로 똑같으므로 $\dfrac{6}{14}$은 $\dfrac{3}{7}$

$\dfrac{3}{7}$ 과 크기가 같습니다.

[방법 2] $\dfrac{6}{14}$의 분모와 분자를 $\boxed{}$로 나누면 $\dfrac{6}{14} = \dfrac{6 \div \boxed{}}{14 \div \boxed{}} = \dfrac{3}{7}$이므로 $\dfrac{6}{14}$은 $\dfrac{3}{7}$과 크

기가 같습니다.

1 $\frac{1}{4}$은 $\frac{2}{8}$와 크기가 같습니다. 그 이유를 2가지 방법으로 설명하시오. (4점)

[방법 1]

[방법 2]

2 $\frac{6}{12}$은 $\frac{1}{2}$과 크기가 같습니다. 그 이유를 2가지 방법으로 설명하시오. (4점)

[방법 1]

[방법 2]

3 가영이는 케이크의 $\frac{2}{3}$를 먹었습니다. 똑같은 크기의 케이크를 6조각으로 나누었다면 몇 조각을 먹어야 가영이가 먹은 양과 같아지는지 그림을 그려서 설명하시오.

(4점)

다음 중 기약분수가 <u>아닌</u> 것을 찾아 그 이유를 설명하시오. (4점)

$$\frac{4}{5} \qquad \frac{7}{11} \qquad \frac{6}{15} \qquad \frac{3}{8}$$

서술 길라잡이 분모와 분자의 공약수가 1뿐인 분수를 기약분수라고 합니다.

✏️ $\frac{6}{15}$ 은 분모와 분자의 공약수가 1, 3입니다.

따라서 3으로 약분할 수 있기 때문에 $\frac{6}{15}$ 은 기약분수가 아닙니다.

평가 기준	기약분수가 아닌 것을 찾은 경우	2점	합 4점
	기약분수가 아닌 이유를 설명한 경우	2점	

서술형 완성하기 빈칸을 채우며 서술형 풀이를 완성하고 답을 쓰시오.

1 다음 중 기약분수가 <u>아닌</u> 것을 찾아 그 이유를 설명하시오.

$$\frac{3}{7} \qquad \frac{11}{12} \qquad \frac{5}{20} \qquad \frac{7}{22}$$

✏️ $\dfrac{\boxed{}}{\boxed{}}$ 는 분모와 분자의 공약수가 1, $\boxed{}$ 입니다.

따라서 $\boxed{}$ 로 약분할 수 있기 때문에 $\dfrac{\boxed{}}{\boxed{}}$ 는 기약분수가 아닙니다.

2 석기네 학교의 5학년 학생은 모두 280명입니다. 이 중에서 안경을 쓴 학생이 120명이라면 안경을 쓴 학생은 전체의 몇 분의 몇인지 기약분수로 나타내려고 합니다. 풀이 과정을 쓰고 답을 구하시오.

✏️ 안경을 쓴 학생은 전체의 $\dfrac{\boxed{}}{280}$ 이므로 기약분수로 나타내려면 $\boxed{}$ 과 280의 최대공약수인 $\boxed{}$ 으로 약분하여야 합니다.

따라서 $\dfrac{\boxed{}}{280} = \dfrac{\boxed{} \div \boxed{}}{280 \div \boxed{}} = \dfrac{3}{\boxed{}}$ 이므로 안경을 쓴 학생은 전체의 $\dfrac{3}{\boxed{}}$ 입니다.

답 _____

1 다음 중 기약분수가 <u>아닌</u> 것을 찾아 그 이유를 설명하시오. (4점)

$$\frac{7}{10} \qquad \frac{3}{16} \qquad \frac{19}{28} \qquad \frac{17}{34}$$

2 다음 중 기약분수가 <u>아닌</u> 것을 찾아 그 이유를 설명하시오. (4점)

$$\frac{5}{9} \qquad \frac{8}{22} \qquad \frac{11}{14} \qquad \frac{10}{21}$$

3 장난감 공장에서 지난달에 생산한 장난감은 모두 450개입니다. 그중에서 75개가
불량품일 때 불량품은 전체의 몇 분의 몇인지 기약분수로 나타내려고 합니다. 풀이
과정을 쓰고 답을 구하시오. (4점)

답 _____

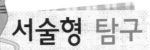
$\dfrac{5}{12}$는 $\dfrac{3}{8}$보다 큽니다. 그 이유를 2가지 방법으로 설명하시오. (4점)

서술 길라잡이 분모를 통분하여 분자의 크기를 비교해 봅니다.

✎ [방법 1] 분모의 곱을 공통분모로 하여 통분한 후 크기를 비교해 봅니다.

$$\dfrac{5}{12}=\dfrac{5\times8}{12\times8}=\dfrac{40}{96},\ \dfrac{3}{8}=\dfrac{3\times12}{8\times12}=\dfrac{36}{96}\text{이므로 } \dfrac{40}{96}>\dfrac{36}{96}\ \Rightarrow\ \dfrac{5}{12}>\dfrac{3}{8}\text{입니다.}$$

[방법 2] 분모의 최소공배수를 공통분모로 하여 통분한 후 크기를 비교해 봅니다.

$$\dfrac{5}{12}=\dfrac{5\times2}{12\times2}=\dfrac{10}{24},\ \dfrac{3}{8}=\dfrac{3\times3}{8\times3}=\dfrac{9}{24}\text{이므로 } \dfrac{10}{24}>\dfrac{9}{24}\ \Rightarrow\ \dfrac{5}{12}>\dfrac{3}{8}\text{입니다.}$$

평가 기준 1가지 방법을 설명할 때마다 2점씩 배점하여 총 4점이 되도록 평가합니다. | 합 4점

서술형 완성하기 빈칸을 채우며 서술형 풀이를 완성하시오.

1 $\dfrac{5}{6}$는 $\dfrac{7}{10}$보다 큽니다. 그 이유를 2가지 방법으로 설명하시오.

✎ [방법 1] 분모의 곱을 공통분모로 하여 통분한 후 크기를 비교해 봅니다.

$$\dfrac{5}{6}=\dfrac{5\times10}{6\times10}=\dfrac{\square}{\square},\ \dfrac{7}{10}=\dfrac{7\times6}{10\times6}=\dfrac{\square}{60}\text{이므로 } \dfrac{\square}{\square}>\dfrac{\square}{60}\ \Rightarrow\ \dfrac{5}{6}>\dfrac{7}{10}\text{입니다.}$$

[방법 2] 분모의 최소공배수를 공통분모로 하여 통분한 후 크기를 비교해 봅니다.

$$\dfrac{5}{6}=\dfrac{5\times5}{6\times5}=\dfrac{\square}{30},\ \dfrac{7}{10}=\dfrac{7\times3}{10\times3}=\dfrac{\square}{\square}\text{이므로 } \dfrac{\square}{30}>\dfrac{\square}{\square}\ \Rightarrow\ \dfrac{5}{6}>\dfrac{7}{10}\text{입니다.}$$

2 $\dfrac{2}{5}$는 0.5보다 작습니다. 그 이유를 2가지 방법으로 설명하시오.

✎ [방법 1] 분수를 소수로 고쳐서 크기를 비교해 봅니다.

$$\dfrac{2}{5}=\dfrac{\square}{10}=\square\text{이므로 } \square\ \textcircled{<}\ 0.5\ \Rightarrow\ \dfrac{2}{5}<0.5\text{입니다.}$$

[방법 2] 소수를 분수로 고쳐서 크기를 비교해 봅니다.

$$\dfrac{2}{5}=\dfrac{\square}{10},\ 0.5=\dfrac{\square}{10}\text{이므로 } \dfrac{\square}{10}\ \textcircled{<}\ \dfrac{\square}{10}\ \Rightarrow\ \dfrac{2}{5}<0.5\text{입니다.}$$

1 $\dfrac{9}{10}$ 는 $\dfrac{5}{8}$ 보다 큽니다. 그 이유를 2가지 방법으로 설명하시오. (4점)

[방법 1]

[방법 2]

2 $\dfrac{3}{4}$ 은 0.8보다 작습니다. 그 이유를 2가지 방법으로 설명하시오. (4점)

[방법 1]

[방법 2]

3 세 분수 $\dfrac{1}{4}$, $\dfrac{2}{3}$, $\dfrac{7}{8}$ 중에서 $\dfrac{7}{8}$ 이 가장 큽니다. 그 이유를 설명하시오. (4점)

$\dfrac{4}{7}$와 $\dfrac{2}{5}$를 통분하려고 합니다. 공통분모가 될 수 있는 수 중에서 90보다 작은 수는 모두 몇 개인지 풀이 과정을 쓰고 답을 구하시오. (4점)

서술 길라잡이 공통분모가 될 수 있는 수는 두 분모의 공배수입니다.

✎ 7과 5의 공배수는 7과 5의 최소공배수 35의 배수와 같습니다.

7과 5의 공배수는 35, 70, 105, ……이므로 90보다 작은 수는 35, 70입니다.

따라서 모두 2개입니다.

답   2개

평가 기준	7과 5의 공배수를 구한 경우	2점	합 4점
	90보다 작은 공통분모의 개수를 구한 경우	2점	

서술형 완성하기   빈칸을 채우며 서술형 풀이를 완성하고 답을 쓰시오.

1 $\dfrac{7}{9}$과 $\dfrac{1}{6}$을 통분하려고 합니다. 공통분모가 될 수 있는 수 중에서 60보다 작은 수는 모두 몇 개인지 풀이 과정을 쓰고 답을 구하시오.

✎ 9와 6의 공배수는 9와 6의 최소공배수 ☐의 배수와 같습니다.

9와 6의 공배수는 ☐, ☐, ☐, ☐, ……이므로 60보다 작은 수는

☐, ☐, ☐입니다. 따라서 모두 ☐개입니다.

답 _____

2 $1\dfrac{8}{15}$과 $1\dfrac{1}{10}$을 통분하려고 합니다. 공통분모가 될 수 있는 수 중에서 두 자리 수는 모두 몇 개인지 풀이 과정을 쓰고 답을 구하시오.

✎ 15와 10의 공배수는 15와 10의 최소공배수 ☐의 배수와 같습니다.

15와 10의 공배수는 ☐, ☐, ☐, ☐, ……이므로 두 자리 수는

☐, ☐, ☐입니다. 따라서 모두 ☐개입니다.

답 _____

1 $\frac{3}{4}$과 $\frac{4}{5}$를 통분하려고 합니다. 공통분모가 될 수 있는 수 중에서 100보다 작은 수는 모두 몇 개인지 풀이 과정을 쓰고 답을 구하시오. (4점)

답 _____

2 $1\frac{5}{14}$와 $1\frac{4}{21}$를 통분하려고 합니다. 공통분모가 될 수 있는 수 중에서 두 자리 수는 모두 몇 개인지 풀이 과정을 쓰고 답을 구하시오. (4점)

답 _____

3 $\frac{7}{12}$과 $2\frac{1}{8}$을 통분하려고 합니다. 공통분모가 될 수 있는 수 중에서 가장 큰 두 자리 수는 얼마인지 풀이 과정을 쓰고 답을 구하시오. (4점)

답 _____

어떤 두 기약분수를 통분하였더니 $\dfrac{7}{28}$ 과 $\dfrac{10}{28}$ 이 되었습니다. 통분하기 전의 두 기약분수는 무엇인지 풀이 과정을 쓰고 답을 구하시오. (4점)

서술 길라잡이 통분을 거꾸로 생각하여 $\dfrac{7}{28}$ 과 $\dfrac{10}{28}$ 을 각각 약분하면 통분하기 전의 두 기약분수를 구할 수 있습니다.

✎ 두 분수를 각각 기약분수로 나타내면 $\dfrac{7}{28} = \dfrac{7 \div 7}{28 \div 7} = \dfrac{1}{4}$, $\dfrac{10}{28} = \dfrac{10 \div 2}{28 \div 2} = \dfrac{5}{14}$ 입니다.

따라서 통분하기 전의 두 기약분수는 $\dfrac{1}{4}$ 과 $\dfrac{5}{14}$ 입니다.

답 $\dfrac{1}{4}$, $\dfrac{5}{14}$

평가 기준	두 분수를 각각 기약분수로 나타낸 경우	2점	합 4점
	통분하기 전의 두 기약분수를 구한 경우	2점	

서술형 완성하기

빈칸을 채우며 서술형 풀이를 완성하고 답을 쓰시오.

1 어떤 두 기약분수를 통분하였더니 $\dfrac{25}{30}$ 와 $\dfrac{27}{30}$ 이 되었습니다. 통분하기 전의 두 기약분수는 무엇인지 풀이 과정을 쓰고 답을 구하시오.

✎ 두 분수를 각각 기약분수로 나타내면 $\dfrac{25}{30} = \dfrac{25 \div \Box}{30 \div \Box} = \dfrac{\Box}{\Box}$, $\dfrac{27}{30} = \dfrac{27 \div \Box}{30 \div \Box} = \dfrac{\Box}{\Box}$

입니다. 따라서 통분하기 전의 두 기약분수는 $\dfrac{\Box}{\Box}$ 와 $\dfrac{\Box}{\Box}$ 입니다.

답 _____

2 어떤 두 기약분수를 통분하였더니 $\dfrac{9}{24}$ 와 $\dfrac{8}{24}$ 이 되었습니다. 통분하기 전의 두 기약분수는 무엇인지 풀이 과정을 쓰고 답을 구하시오.

✎ 두 분수를 각각 기약분수로 나타내면 $\dfrac{9}{24} = \dfrac{9 \div \Box}{24 \div \Box} = \dfrac{\Box}{\Box}$, $\dfrac{8}{24} = \dfrac{8 \div \Box}{24 \div \Box} = \dfrac{\Box}{\Box}$

입니다. 따라서 통분하기 전의 두 기약분수는 $\dfrac{\Box}{\Box}$ 과 $\dfrac{\Box}{\Box}$ 입니다.

답 _____

1 어떤 두 기약분수를 통분하였더니 $\dfrac{12}{32}$ 와 $\dfrac{6}{32}$ 이 되었습니다. 통분하기 전의 두 기약분수는 무엇인지 풀이 과정을 쓰고 답을 구하시오. (4점)

답 _____

2 어떤 두 기약분수를 통분하였더니 $\dfrac{15}{45}$ 와 $\dfrac{10}{45}$ 이 되었습니다. 통분하기 전의 두 기약분수는 무엇인지 풀이 과정을 쓰고 답을 구하시오. (4점)

답 _____

3 어떤 두 기약분수를 통분하였더니 $\dfrac{34}{60}$ 와 $\dfrac{55}{60}$ 가 되었습니다. 통분하기 전의 두 기약분수는 무엇인지 풀이 과정을 쓰고 답을 구하시오. (4점)

답 _____

서술형 탐구

가영이는 우유를 $\frac{9}{10}$ L 마셨고, 영수는 $\frac{7}{8}$ L 마셨습니다. 누가 우유를 더 많이 마셨는지 풀이 과정을 쓰고 답을 구하시오. (4점)

서술 길라잡이 분수를 통분하여 크기를 비교해 봅니다.

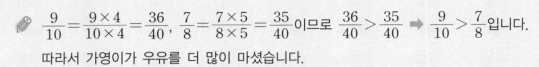

$\frac{9}{10} = \frac{9 \times 4}{10 \times 4} = \frac{36}{40}$, $\frac{7}{8} = \frac{7 \times 5}{8 \times 5} = \frac{35}{40}$ 이므로 $\frac{36}{40} > \frac{35}{40}$ ➡ $\frac{9}{10} > \frac{7}{8}$ 입니다.

따라서 가영이가 우유를 더 많이 마셨습니다.

답   가영

평가 기준	분모를 통분하여 크기를 비교한 경우	2점	합 4점
	우유를 더 많이 마신 사람을 구한 경우	2점	

서술형 완성하기

빈칸을 채우며 서술형 풀이를 완성하고 답을 쓰시오.

1 빨간색 테이프는 $\frac{5}{8}$ m, 파란색 테이프는 $\frac{13}{20}$ m가 있습니다. 빨간색 테이프와 파란색 테이프 중 어느 색 테이프가 더 긴지 풀이 과정을 쓰고 답을 구하시오.

$\frac{5}{8} = \frac{5 \times \boxed{}}{8 \times \boxed{}} = \frac{25}{40}$, $\frac{13}{20} = \frac{13 \times 2}{20 \times \boxed{}} = \frac{\boxed{}}{\boxed{}}$ 이므로 $\frac{25}{40} \bigcirc \frac{\boxed{}}{\boxed{}}$ ➡ $\frac{5}{8} \bigcirc \frac{13}{20}$ 입니다. 따라서 $\boxed{}$ 테이프가 더 깁니다.

답

2 밀가루 $1\frac{8}{25}$ kg으로 식빵을 만들었고, 1.3 kg으로 쿠키를 만들었습니다. 식빵과 쿠키 중 밀가루를 더 많이 사용한 것은 어느 것인지 풀이 과정을 쓰고 답을 구하시오.

$1\frac{8}{25} = 1\frac{8 \times \boxed{}}{25 \times 4} = 1\frac{\boxed{}}{100} = \boxed{}$ 이므로 $1\frac{8}{25} \bigcirc 1.3$ 입니다.

따라서 밀가루를 더 많이 사용한 것은 $\boxed{}$ 입니다.

답

1 철사가 $\dfrac{11}{20}$ m, 끈이 $\dfrac{9}{16}$ m 있습니다. 철사와 끈 중 어느 것이 더 긴지 풀이 과정을 쓰고 답을 구하시오. (4점)

답 _____

2 신영이는 수영을 어제는 $1\dfrac{3}{10}$ 시간, 오늘은 1.25시간 동안 했습니다. 어제와 오늘 중에서 수영을 더 많이 한 날은 언제인지 풀이 과정을 쓰고 답을 구하시오. (4점)

답 _____

3 그림은 규형이네 집에서 학교, 문구점, 서점까지의 거리를 나타낸 것입니다. 규형이네 집에서 가장 가까운 거리에 있는 곳은 어디인지 풀이 과정을 쓰고 답을 구하시오. (5점)

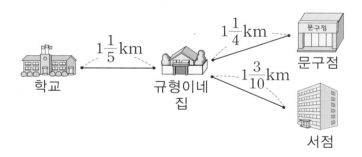

답 _____

① $\frac{3}{4}$은 $\frac{12}{16}$와 크기가 같습니다. 그 이유를 설명하시오. (4점)

② 어제 하루 동안 놀이공원에 입장한 사람은 360명입니다. 그중에서 여자가 200명일 때, 놀이공원에 입장한 남자는 전체의 몇 분의 몇인지 기약분수로 나타내려고 합니다. 풀이 과정을 쓰고 답을 구하시오. (5점)

 답 _____

③ $\frac{7}{15}$은 $\frac{2}{9}$보다 큽니다. 그 이유를 2가지 방법으로 설명하시오. (4점)

[방법 1]

[방법 2]

④ $\frac{9}{16}$와 $\frac{11}{24}$을 통분하려고 합니다. 공통분모가 될 수 있는 수 중에서 150보다 작은 수는 모두 몇 개인지 풀이 과정을 쓰고 답을 구하시오. (4점)

 답 _____

 ⑤ 어떤 두 기약분수를 통분하였더니 $\frac{28}{84}$과 $\frac{40}{84}$이 되었습니다. 통분하기 전의 두 기약분수는 무엇인지 풀이 과정을 쓰고 답을 구하시오. (4점)

 답 _____

 ⑥ 학급 게시판의 $\frac{1}{2}$을 그림 작품으로, 0.4를 글짓기 작품으로, $\frac{1}{10}$을 사진으로 꾸몄습니다. 그림 작품, 글짓기 작품, 사진 중 학급 게시판을 가장 많이 차지하고 있는 것은 무엇인지 풀이 과정을 쓰고 답을 구하시오. (5점)

 답 _____

진짜 금화를 찾아라!

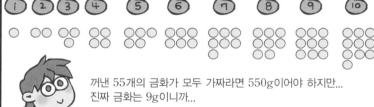

5 분수의 덧셈과 뺄셈

서술형 탐구

$\dfrac{2}{5}+\dfrac{3}{10}=\dfrac{7}{10}$ 을 그림을 그려 계산 과정을 나타내고 설명하시오. (4점)

서술 길라잡이 전체 칸 수를 똑같이 하여 분수만큼 각각 색칠하고 전체 칸 수를 더합니다.

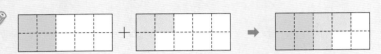

$\dfrac{2}{5}=\dfrac{4}{10}$ 이므로 $\dfrac{2}{5}$ 는 10칸 중 4칸을 색칠하고 $\dfrac{3}{10}$ 은 10칸 중 3칸을 색칠하면 $\dfrac{2}{5}+\dfrac{3}{10}$ 은 10칸 중 7칸을 색칠하게 됩니다. 따라서 $\dfrac{2}{5}+\dfrac{3}{10}=\dfrac{4}{10}+\dfrac{3}{10}=\dfrac{7}{10}$ 입니다.

평가 기준	그림을 이용하여 계산 과정을 나타낸 경우	2점	합 4점
	계산 과정을 설명한 경우	2점	

서술형 완성하기 빈칸을 채우며 서술형 풀이를 완성하시오.

1 $\dfrac{1}{3}+\dfrac{2}{9}=\dfrac{5}{9}$ 를 그림을 그려 계산 과정을 나타내고 설명하시오.

$\dfrac{1}{3}=\dfrac{\square}{9}$ 이므로 $\dfrac{1}{3}$ 은 9칸 중 $\square$ 칸을 색칠하고 $\dfrac{2}{9}$ 는 9칸 중 $\square$ 칸을 색칠하면

$\dfrac{1}{3}+\dfrac{2}{9}$ 는 9칸 중 $\square$ 칸을 색칠하게 됩니다. 따라서 $\dfrac{1}{3}+\dfrac{2}{9}=\dfrac{\square}{9}+\dfrac{2}{9}=\dfrac{5}{9}$ 입니다.

2 $\dfrac{1}{2}-\dfrac{1}{4}=\dfrac{1}{4}$ 을 그림을 그려 계산 과정을 나타내고 설명하시오.

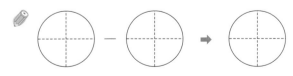

$\dfrac{1}{2}=\dfrac{\square}{4}$ 이므로 $\dfrac{1}{2}$ 은 4칸 중 $\square$ 칸을 색칠하고 $\dfrac{1}{4}$ 은 4칸 중 $\square$ 칸을 지우면

$\dfrac{1}{2}-\dfrac{1}{4}$ 은 4칸 중 $\square$ 칸을 색칠하게 됩니다. 따라서 $\dfrac{1}{2}-\dfrac{1}{4}=\dfrac{\square}{4}-\dfrac{1}{4}=\dfrac{1}{4}$ 입니다.

1 $\frac{2}{3} + \frac{1}{4} = \frac{11}{12}$ 을 그림을 그려 계산 과정을 나타내고 설명하시오. (4점)

2 $\frac{3}{4} + \frac{1}{5} = \frac{19}{20}$ 를 그림을 그려 계산 과정을 나타내고 설명하시오. (4점)

3 $\frac{7}{9} - \frac{1}{2} = \frac{5}{18}$ 를 그림을 그려 계산 과정을 나타내고 설명하시오. (4점)

$1\frac{1}{4}+2\frac{3}{7}=3\frac{19}{28}$ 임을 2가지 방법으로 설명하시오. (4점)

서술 길라잡이 먼저 두 분수를 통분해 봅니다.

✏️ [방법 1] 두 분수를 통분하여 자연수는 자연수끼리 더하고, 분수는 분수끼리 더합니다.

$$1\frac{1}{4}+2\frac{3}{7}=1\frac{7}{28}+2\frac{12}{28}=(1+2)+\left(\frac{7}{28}+\frac{12}{28}\right)=3+\frac{19}{28}=3\frac{19}{28}$$

[방법 2] 대분수를 가분수로 고친 후 통분하여 계산합니다.

$$1\frac{1}{4}+2\frac{3}{7}=\frac{5}{4}+\frac{17}{7}=\frac{35}{28}+\frac{68}{28}=\frac{103}{28}=3\frac{19}{28}$$

평가 기준 1가지 방법을 설명할 때마다 2점씩 배점하여 총 4점이 되도록 평가합니다. | 합 4점

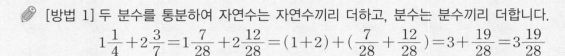 빈칸을 채우며 서술형 풀이를 완성하시오.

1 $1\frac{2}{3}+1\frac{3}{5}=3\frac{4}{15}$ 임을 2가지 방법으로 설명하시오.

✏️ [방법 1] 두 분수를 통분하여 자연수는 자연수끼리 더하고, 분수는 분수끼리 더합니다.

$$1\frac{2}{3}+1\frac{3}{5}=1\frac{\boxed{}}{15}+1\frac{\boxed{}}{15}=(1+1)+\left(\frac{\boxed{}}{15}+\frac{\boxed{}}{15}\right)$$

$$=\boxed{}+\boxed{}\frac{\boxed{}}{15}=\boxed{}\frac{\boxed{}}{15}$$

[방법 2] 대분수를 가분수로 고친 후 통분하여 계산합니다.

$$1\frac{2}{3}+1\frac{3}{5}=\frac{\boxed{}}{3}+\frac{\boxed{}}{5}=\frac{\boxed{}}{15}+\frac{\boxed{}}{15}=\frac{\boxed{}}{15}=\boxed{}\frac{\boxed{}}{15}$$

2 $3\frac{3}{4}-1\frac{1}{2}=2\frac{1}{4}$ 임을 2가지 방법으로 설명하시오.

✏️ [방법 1] 두 분수를 통분하여 자연수는 자연수끼리 빼고, 분수는 분수끼리 뺍니다.

$$3\frac{3}{4}-1\frac{1}{2}=3\frac{3}{4}-1\frac{\boxed{}}{4}=(3-1)+\left(\frac{3}{4}-\frac{\boxed{}}{4}\right)=\boxed{}+\frac{\boxed{}}{4}=\boxed{}\frac{\boxed{}}{4}$$

[방법 2] 대분수를 가분수로 고친 후 통분하여 계산합니다.

$$3\frac{3}{4}-1\frac{1}{2}=\frac{\boxed{}}{4}-\frac{\boxed{}}{2}=\frac{\boxed{}}{4}-\frac{\boxed{}}{4}=\frac{\boxed{}}{4}=\boxed{}\frac{\boxed{}}{4}$$

1 $2\frac{2}{3}+2\frac{1}{6}=4\frac{5}{6}$ 임을 2가지 방법으로 설명하시오. (4점)

[방법 1]

[방법 2]

2 $4\frac{7}{10}-3\frac{1}{15}=1\frac{19}{30}$ 임을 2가지 방법으로 설명하시오. (4점)

[방법 1]

[방법 2]

3 $3\frac{1}{9}-1\frac{1}{5}=1\frac{41}{45}$ 임을 2가지 방법으로 설명하시오. (4점)

[방법 1]

[방법 2]

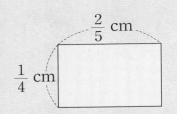

오른쪽 직사각형을 보고 가로와 세로의 합은 몇 cm인지 풀이 과정을 쓰고 답을 구하시오. (4점)

$\frac{2}{5}$ cm

$\frac{1}{4}$ cm

서술 길라잡이 두 분수를 통분한 다음 분자끼리 더합니다.

✏️ (가로)+(세로)$=\frac{2}{5}+\frac{1}{4}=\frac{8}{20}+\frac{5}{20}=\frac{13}{20}$(cm)

따라서 가로와 세로의 합은 $\frac{13}{20}$ cm입니다.

답 $\frac{13}{20}$ cm

평가 기준	알맞은 식을 세운 경우	2점	합 4점
	가로와 세로의 합을 구한 경우	2점	

서술형 완성하기

빈칸을 채우며 서술형 풀이를 완성하고 답을 쓰시오.

1 오른쪽 직사각형을 보고 가로와 세로의 합은 몇 cm인지 풀이 과정을 쓰고 답을 구하시오.

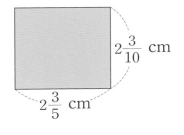

$2\frac{3}{10}$ cm

$2\frac{3}{5}$ cm

✏️ (가로)+(세로)

$=2\frac{3}{5}+2\frac{3}{10}=2\frac{\square}{10}+2\frac{\square}{10}=\square\frac{\square}{10}$(cm)

따라서 가로와 세로의 합은 $\square\frac{\square}{10}$ cm입니다.

답 _____

2 오른쪽 직사각형을 보고 가로와 세로의 차는 몇 m인지 풀이 과정을 쓰고 답을 구하시오.

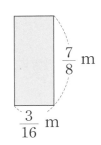

$\frac{7}{8}$ m

$\frac{3}{16}$ m

✏️ (세로)$-$(가로)$=\frac{7}{8}-\frac{3}{16}=\frac{14}{16}-\frac{\square}{16}=\frac{\square}{16}$(m)

따라서 가로와 세로의 차는 $\frac{\square}{16}$ m입니다.

답 _____

1 오른쪽 직사각형을 보고 가로와 세로의 합은 몇 m인
지 풀이 과정을 쓰고 답을 구하시오. (4점)

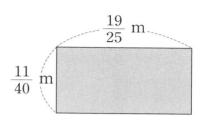

답 _____

2 오른쪽 직사각형을 보고 가로와 세로의 차는 몇 m인지 풀이 과
정을 쓰고 답을 구하시오. (4점)

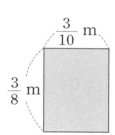

답 _____

3 오른쪽 직사각형을 보고 가로와 세로의 차는 몇 cm인
지 풀이 과정을 쓰고 답을 구하시오. (4점)

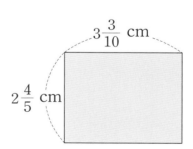

답 _____

지혜는 피아노를 어제 $\frac{2}{5}$ 시간 동안 연습하였고, 오늘 $\frac{1}{2}$ 시간 동안 연습하였습니다. 이틀 동안 피아노를 연습한 시간은 모두 몇 시간인지 풀이 과정을 쓰고 답을 구하시오. (4점)

서술 길라잡이 어제 연습한 시간과 오늘 연습한 시간을 더합니다.

✎ (어제 연습한 시간)+(오늘 연습한 시간)$=\frac{2}{5}+\frac{1}{2}=\frac{4}{10}+\frac{5}{10}=\frac{9}{10}$(시간)

따라서 이틀 동안 피아노를 연습한 시간은 모두 $\frac{9}{10}$ 시간입니다.

답 <u>$\frac{9}{10}$ 시간</u>

평가 기준	알맞은 식을 세운 경우	2점	합 4점
	이틀 동안 피아노를 연습한 시간을 구한 경우	2점	

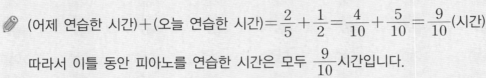서술형 완성하기 빈칸을 채우며 서술형 풀이를 완성하고 답을 쓰시오.

1 설탕이 $\frac{9}{10}$ kg 있습니다. 그중에서 빵을 만드는 데 $\frac{7}{16}$ kg 사용했습니다. 남은 설탕은 몇 kg인지 풀이 과정을 쓰고 답을 구하시오.

✎ (처음 설탕의 양)−(사용한 설탕의 양)$=\frac{9}{10}-\frac{7}{16}=\frac{\boxed{}}{80}-\frac{\boxed{}}{80}=\frac{\boxed{}}{80}$ (kg)

따라서 남은 설탕의 양은 $\frac{\boxed{}}{80}$ kg입니다.

답 _____

2 할머니께서 매실 주스를 $\frac{19}{20}$ L 담아 오셨습니다. 그중에서 예슬이가 $\frac{2}{5}$ L, 석기가 $\frac{3}{8}$ L 마셨다면 남은 매실 주스는 몇 L인지 풀이 과정을 쓰고 답을 구하시오.

✎ (처음 매실 주스의 양)−(예슬이가 마신 매실 주스의 양)−(석기가 마신 매실 주스의 양)

$=\frac{19}{20}-\frac{2}{5}-\frac{3}{8}=\frac{\boxed{}}{40}-\frac{\boxed{}}{40}-\frac{\boxed{}}{40}=\frac{\boxed{}}{40}$ (L)

따라서 남은 매실 주스의 양은 $\frac{\boxed{}}{40}$ L입니다.

답 _____

1 헌 종이를 상연이는 $1\dfrac{8}{25}$ kg 모았고, 한초는 $1\dfrac{4}{5}$ kg 모았습니다. 상연이와 한초가 모은 헌 종이는 모두 몇 kg인지 풀이 과정을 쓰고 답을 구하시오. (4점)

답 _____

2 영수와 한별이는 색종이를 연결하여 끈을 만들었습니다. 영수의 끈은 $1\dfrac{1}{4}$ m였고, 한별이의 끈은 $1\dfrac{5}{8}$ m였습니다. 누가 몇 m 더 길게 만들었는지 풀이 과정을 쓰고 답을 구하시오. (4점)

답 _____

3 물통에 물이 $4\dfrac{5}{8}$ L 들어 있었습니다. 화단에 물을 주는 데 $2\dfrac{1}{4}$ L 사용하고, 물통에 물을 $1\dfrac{3}{5}$ L 더 부었다면 물통에 들어 있는 물은 몇 L인지 풀이 과정을 쓰고 답을 구하시오. (4점)

답 _____

실전! 서술형

① $\dfrac{1}{9} + \dfrac{2}{3} = \dfrac{7}{9}$을 그림을 그려 계산 과정을 나타내고 설명하시오. (4점)

② $2\dfrac{3}{14} - 1\dfrac{1}{8} = 1\dfrac{5}{56}$임을 2가지 방법으로 설명하시오. (4점)

[방법 1]

[방법 2]

③ 오른쪽 직사각형을 보고 가로와 세로의 합은 몇 cm인지
풀이 과정을 쓰고 답을 구하시오. (4점)

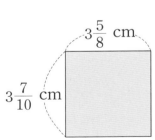

$3\dfrac{5}{8}$ cm

$3\dfrac{7}{10}$ cm

답 _____

④ 가영이는 동화책을 읽고 있습니다. 어제는 전체의 $\frac{5}{14}$ 를 읽었고, 오늘은 전체의 $\frac{2}{7}$ 를 읽었습니다. 이틀 동안 읽은 양은 전체의 몇 분의 몇인지 풀이 과정을 쓰고 답을 구하시오. (4점)

답 _____

 ⑤ 쌀이 $4\frac{7}{10}$ kg 있었습니다. 밥을 짓는 데 $1\frac{3}{4}$ kg을 사용하였고, 떡을 만드는 데 $2\frac{4}{5}$ kg을 사용했습니다. 남은 쌀은 몇 kg인지 풀이 과정을 쓰고 답을 구하시오. (4점)

답 _____

 ⑥ 오른쪽과 같이 지혜네 집에서 학교까지 가는 길은 ㉮ 길과 ㉯ 길이 있습니다. 지혜는 집에서 학교에 가려고 합니다. ㉮ 길과 ㉯ 길 중 어느 길로 가는 것이 더 가까운지 풀이 과정을 쓰고 답을 구하시오. (5점)

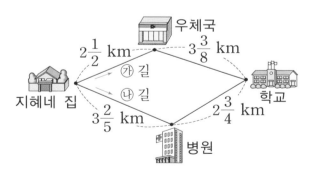

답 _____

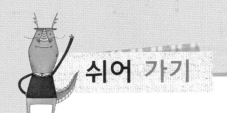

강 건너기

⭐ 생각해 보기

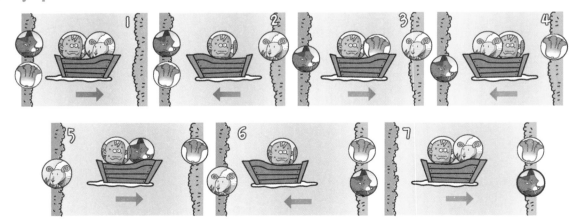

6 다각형의 둘레와 넓이

평행사변형의 둘레는 몇 cm인지 풀이 과정을 쓰고 답을 구하시오. (5점)

14 cm

6 cm

서술 길라잡이 평행사변형은 마주 보는 변의 길이가 같습니다.

✎ 평행사변형의 둘레를 구하는 방법은 {(한 변의 길이)+(다른 변의 길이)}×2입니다.
따라서 이 평행사변형의 둘레는 (14+6)×2=20×2=40(cm)입니다.

답 ___40 cm___

평가기준	평행사변형의 둘레를 구하는 방법을 식으로 바르게 나타낸 경우	3점	합
	답을 구한 경우	2점	5점

서술형 완성하기

빈칸을 채우며 서술형 풀이를 완성하고 답을 쓰시오.

1 가로와 세로가 각각 다음과 같은 직사각형이 있습니다. 이 직사각형의 둘레는 몇 cm
인지 풀이 과정을 쓰고 답을 구하시오.

가로 : 12 cm   세로 : 7 cm

✎ 직사각형의 둘레를 구하는 방법은 {(가로)+(세로)}×☐입니다.

따라서 (직사각형의 둘레)=(12+7)×☐=19×☐=☐(cm)입니다.

답 _____

2 상연이가 새로 산 색종이는 한 변이 8 cm인 마름모 모양입니다. 이 색종이의 둘레는
몇 cm인지 풀이 과정을 쓰고 답을 구하시오.

✎ 마름모는 ☐개의 변의 길이가 모두 같으므로 마름모의 둘레를 구하는 방법은

(한 변의 길이)×☐입니다.

따라서 (색종이의 둘레)=8×☐=☐(cm)입니다.

답 _____

서술형 정복하기

1 예슬이가 풀고 있는 수학 문제집은 가로가 22 cm이고 세로가 30 cm인 직사각형 모양입니다. 이 수학 문제집의 둘레는 몇 cm인지 풀이 과정을 쓰고 답을 구하시오. (5점)

답 _____

2 다음 평행사변형과 마름모의 둘레의 차는 몇 cm인지 풀이 과정을 쓰고 답을 구하시오. (5점)

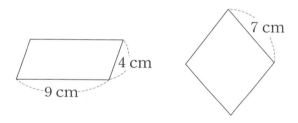

답 _____

3 가로가 5 cm이고 세로가 2 cm인 직사각형이 있습니다. 각 변의 길이를 2배로 늘리면 늘린 직사각형의 둘레는 몇 cm가 되는지 풀이 과정을 쓰고 답을 구하시오. (5점)

답 _____

서술형 탐구

오른쪽 도형에서 작은 정사각형의 한 변의 길이는 2 cm입니다.
이 도형의 둘레는 몇 cm인지 풀이 과정을 쓰고 답을 구하시오.

(5점)

2 cm

2 cm

서술 길라잡이 도형의 둘레는 작은 정사각형의 한 변의 길이의 몇 배인지 알아봅니다.

✐ 도형의 둘레에는 길이가 2 cm인 변이 모두 14개 있습니다.
따라서 (도형의 둘레)$=2\times14=28$(cm)입니다.

답 _____28 cm_____

평가 기준	작은 정사각형의 한 변의 길이를 이용하여 풀이 과정을 전개한 경우	3점	합 5점
	풀이 과정에 맞도록 올바른 답을 구한 경우	2점	

서술형 완성하기

빈칸을 채우며 서술형 풀이를 완성하고 답을 쓰시오.

1 오른쪽 도형에서 작은 정사각형의 한 변의 길이는 3 cm입니다. 이 도형의 둘레는 몇 cm인지 풀이 과정을 쓰고 답을 구하시오.

3 cm

3 cm

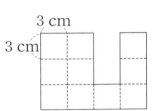

✐ 도형의 둘레에는 길이가 3 cm인 변이 모두 ☐개 있습니다.
따라서 (도형의 둘레)$=3\times$☐$=$☐(cm)입니다.

답 _____

2 오른쪽 도형의 둘레는 몇 cm인지 풀이 과정을 쓰고 답을 구하시오.

15 cm

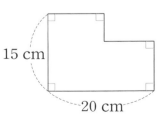

20 cm

✐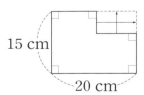

15 cm

20 cm

왼쪽 그림과 같이 변의 위치를 옮기면 도형의 둘레는 가로가 20 cm, 세로가 ☐ cm인 직사각형의 둘레와 같습니다.

따라서 (도형의 둘레)$=(20+$☐$)\times2=$☐(cm)입니다.

답 _____

1 오른쪽 도형에서 작은 정사각형의 한 변의 길이는 5 cm입니다. 이 도형의 둘레는 몇 cm인지 풀이 과정을 쓰고 답을 구하시오. (5점)

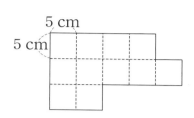

답 _____

2 오른쪽 도형의 둘레는 몇 cm인지 풀이 과정을 쓰고 답을 구하시오. (5점)

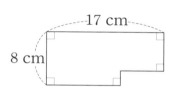

답 _____

3 오른쪽 도형의 둘레는 몇 cm인지 풀이 과정을 쓰고 답을 구하시오. (5점)

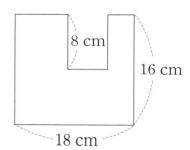

답 _____

서술형 탐구

넓이가 같은 도형을 모두 찾아 기호를 쓰려고 합니다. 풀이 과정을 쓰고 답을 구하시오. (5점)

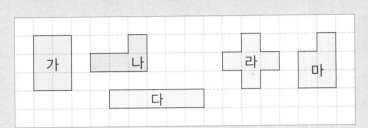

서술 길라잡이 모눈 한 칸을 단위넓이로 하여 비교합니다.

✎ 모눈 한 칸을 단위넓이로 하여 각 도형의 넓이가 단위넓이의 몇 배인지 알아보면

가는 모눈이 6칸이므로 단위넓이의 6배, 나는 모눈이 4칸이므로 단위넓이의 4배, 다는 모눈이
5칸이므로 단위넓이의 5배, 라는 모눈이 5칸이므로 단위넓이의 5배, 마는 모눈이 5칸이므로
단위넓이의 5배입니다.

따라서 넓이가 같은 도형은 다, 라, 마입니다.

답   다, 라, 마

평가 기준	각 도형이 단위넓이의 몇 배인지 바르게 설명한 경우	3점	합 5점
	답을 구한 경우	2점	

서술형 완성하기
빈칸을 채우며 서술형 풀이를 완성하고 답을 쓰시오.

1 직사각형 가, 나의 넓이는 각각 몇 m^2인지 풀이 과정을 쓰고 답을 구하시오.

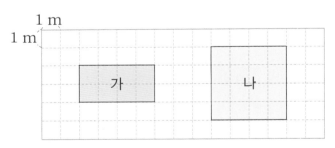

✎ 모눈 한 칸을 단위넓이로 하면 단위넓이는 한 변의 길이가 1 m인 정사각형의 넓이이므로

◻ m^2입니다.

따라서 가는 단위넓이의 ◻배이므로 넓이가 ◻ m^2이고, 나는 단위넓이의 ◻배이므로

넓이가 ◻ m^2입니다.

답

1 단위넓이를 사용하여 직사각형의 넓이를 알아보고 가장 넓은 것부터 순서대로 기호를 쓰려고 합니다. 풀이 과정을 쓰고 답을 구하시오. (5점)

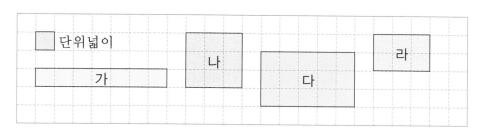

답 _____

2 색칠한 부분의 넓이는 몇 km²인지 풀이 과정을 쓰고 답을 구하시오. (5점)

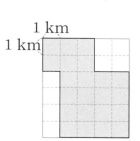

답 _____

3 넓이가 6 cm²인 도형을 3개 그리고, 그린 방법을 설명하시오. (5점)

오른쪽 도형의 넓이는 몇 cm²인지 2가지 방법으로 설명하고 답을 구하시오. (6점)

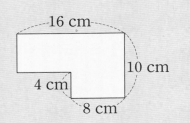

| 서술 길라잡이 | 도형을 가로 또는 세로로 나누거나 전체에서 일부분을 빼는 등 다양한 방법으로 설명할 수 있습니다. |

[방법 1] 도형을 가로로 나누어 넓이를 구합니다.

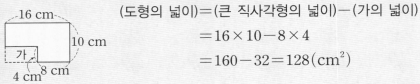

(도형의 넓이)＝(가의 넓이)＋(나의 넓이)

＝$16 \times 6 + 8 \times 4$

＝$96 + 32 = 128 (cm^2)$

[방법 2] 전체에서 일부분을 빼어 넓이를 구합니다.

(도형의 넓이)＝(큰 직사각형의 넓이)－(가의 넓이)

＝$16 \times 10 - 8 \times 4$

＝$160 - 32 = 128 (cm^2)$

답 ___128 cm²___

| 평가 기준 | 1가지 방법을 설명할 때마다 3점씩 배점하여 총 6점이 되도록 평가합니다. | 합 6점 |

서술형 완성하기

빈칸을 채우며 서술형 풀이를 완성하고 답을 쓰시오.

1 오른쪽 색칠한 부분의 넓이는 몇 cm²인지 풀이 과정을 쓰고 답을 구하시오.

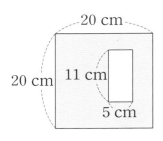

✎ (색칠한 부분의 넓이)

＝(큰 정사각형의 넓이)－(작은 직사각형의 넓이)

＝$20 \times \boxed{} - \boxed{} \times 11$

＝$\boxed{} - \boxed{}$

＝$\boxed{} (cm^2)$

답 _____

1 오른쪽 도형의 넓이는 몇 cm²인지 2가지 방법으로 설명하고 답을 구하시오. (6점)

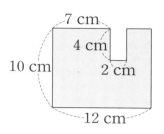

✏️ [방법 1]

[방법 2]

답 _____

2 오른쪽 도형의 넓이는 몇 cm²인지 2가지 방법으로 설명하고 답을 구하시오. (6점)

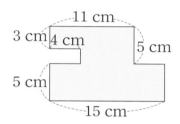

✏️ [방법 1]

[방법 2]

답 _____

3 오른쪽 색칠한 부분의 넓이는 몇 cm²인지 풀이 과정을 쓰고 답을 구하시오. (5점)

 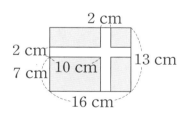

답 _____

평행사변형을 다음과 같이 자른 다음 직사각형을 만들었습니다. 평행사변형의 넓이를 구하는 방법은 (밑변)×(높이)임을 설명하시오. (4점)

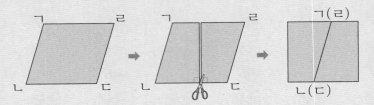

서술 길라잡이 평행사변형에서 평행한 두 변을 밑변이라 하고, 두 밑변 사이의 거리를 높이라고 합니다.

✎ 평행사변형을 잘라서 직사각형으로 만들면 직사각형의 가로는 평행사변형의 밑변과 같고, 세로는 평행사변형의 높이와 같습니다.

$$(평행사변형의 넓이)=(직사각형의 넓이)$$
$$=(가로)×(세로)$$
$$=(밑변)×(높이)$$

평가 기준	직사각형과 평행사변형의 변의 관계를 아는 경우	2점	합 4점
	평행사변형의 넓이 구하는 방법을 설명한 경우	2점	

서술형 완성하기   빈칸을 채우며 서술형 풀이를 완성하시오.

1 삼각형 ㄱㄴㄷ의 넓이를 구하기 위해 삼각형 ㄱㄴㄷ과 모양과 크기가 똑같은 삼각형을 붙여 평행사변형을 만들었습니다. 삼각형의 넓이를 구하는 방법은 (밑변)×(높이)÷2임을 설명하시오.

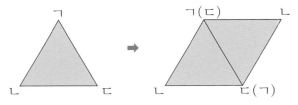

✎ 모양과 크기가 똑같은 삼각형 2개를 붙여 평행사변형을 만들면 평행사변형의 밑변은 삼각형의 [   ]과 같고, 평행사변형의 높이는 삼각형의 [   ]와 같습니다.

$$(삼각형의 넓이)=(평행사변형의 넓이)÷[\ ]$$
$$=([\quad])×([\quad])÷[\ ]$$

1 마름모를 다음과 같이 자른 다음 직사각형을 만들었습니다. 마름모의 넓이를 구하는 방법은 (한 대각선)×(다른 대각선)÷2임을 설명하시오. (4점)

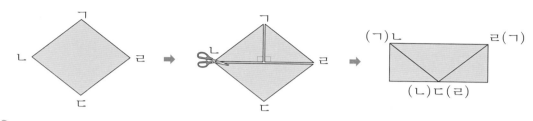

2 사다리꼴 ㄱㄴㄷㄹ의 넓이를 구하기 위해 사다리꼴 ㄱㄴㄷㄹ과 모양과 크기가 똑같은 사다리꼴을 붙여 평행사변형을 만들었습니다. 사다리꼴의 넓이를 구하는 방법은 {(윗변)+(아랫변)}×(높이)÷2임을 설명하시오. (4점)

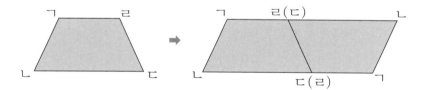

서술형 탐구

오른쪽 마름모의 넓이를 삼각형 2개로 나누어 구하려고 합니다. 풀이 과정을 쓰고 답을 구하시오. (4점)

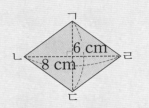

서술 길라잡이 마름모의 넓이는 마름모의 한 대각선을 밑변으로 하는 삼각형의 넓이의 2배입니다.

✏️ (마름모의 넓이)=(삼각형 ㄱㄴㄹ의 넓이)×2=(8×3÷2)×2=24(cm²)
따라서 마름모의 넓이는 24 cm²입니다.

답 ___24 cm²___

평가 기준	삼각형 2개로 나누어 마름모의 넓이 구하는 식을 세운 경우	2점	합 4점
	삼각형 2개로 나누어 마름모의 넓이를 구한 경우	2점	

서술형 완성하기

빈칸을 채우며 서술형 풀이를 완성하고 답을 쓰시오.

1 오른쪽 사다리꼴의 넓이를 삼각형 2개로 나누어 구하려고 합니다. 풀이 과정을 쓰고 답을 구하시오.

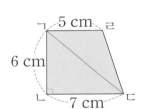

✏️ 점 ㄱ과 ㄷ을 이어 삼각형 2개로 나눕니다.
(사다리꼴의 넓이)=(삼각형 ㄱㄴㄷ의 넓이)+(삼각형 ㄱㄷㄹ의 넓이)
　　　　　　　=(☐×6÷2)+(☐×☐÷2)
　　　　　　　=☐+☐=☐(cm²)
따라서 사다리꼴의 넓이는 ☐ cm²입니다.

답 _____

2 오른쪽 마름모의 넓이를 삼각형 4개로 나누어 구하려고 합니다. 풀이 과정을 쓰고 답을 구하시오.

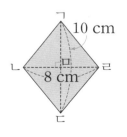

✏️ (마름모의 넓이)=(삼각형 ㄱㄴㅁ의 넓이)×4
　　　　　　　=(☐×☐÷2)×4
　　　　　　　=☐(cm²)
따라서 마름모의 넓이는 ☐ cm²입니다.

답 _____

1 오른쪽 마름모의 넓이를 삼각형 2개로 나누어 구하려고
합니다. 풀이 과정을 쓰고 답을 구하시오. (4점)

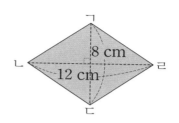

답 _____

2 오른쪽 사다리꼴의 넓이를 삼각형 2개로 나누어 구하려
고 합니다. 풀이 과정을 쓰고 답을 구하시오. (4점)

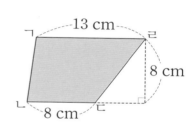

답 _____

3 오른쪽 사다리꼴의 넓이를 평행사변형과 삼각형으로 나누어
구하려고 합니다. 풀이 과정을 쓰고 답을 구하시오. (5점)

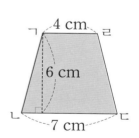

답 _____

 **서술형 탐구**

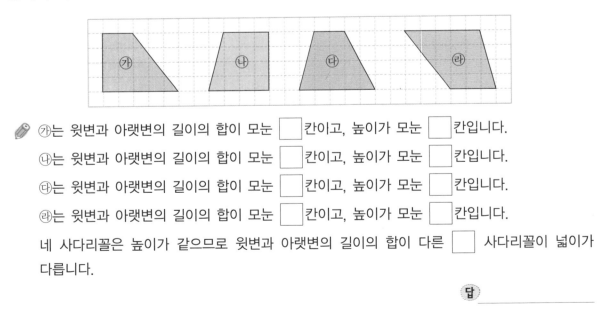

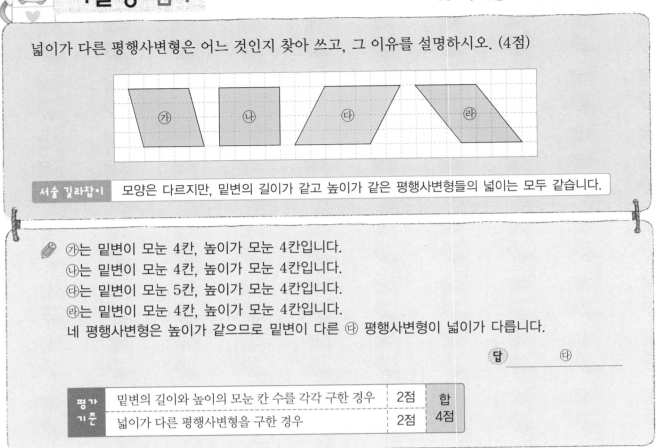

 서술형 탐구

 서술형 탐구

1 넓이가 다른 삼각형은 어느 것인지 찾아 쓰고, 그 이유를 설명하시오. (4점)

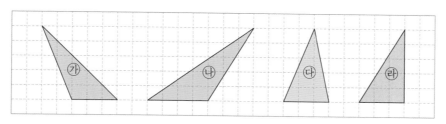

답 _____

2 넓이가 다른 사다리꼴은 어느 것인지 찾아 쓰고, 그 이유를 설명하시오. (4점)

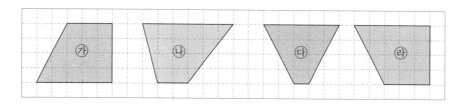

답 _____

서술형 탐구

오른쪽 도형에서 색칠한 부분의 넓이는 몇 cm²인지 풀이 과정을 쓰고
답을 구하시오. (4점)

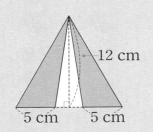

서술 길라잡이 삼각형 2개로 나누어 색칠한 부분의 넓이를 구해 봅니다.

✏ (색칠한 부분의 넓이)$=(5 \times 12 \div 2)+(5 \times 12 \div 2)=30+30=60 (cm^2)$
따라서 색칠한 부분의 넓이는 $60 cm^2$입니다.

답   60 cm²

평가기준	색칠한 부분의 넓이를 구하는 식을 세운 경우	2점	합 4점
	색칠한 부분의 넓이를 구한 경우	2점	

서술형 완성하기 빈칸을 채우며 서술형 풀이를 완성하고 답을 쓰시오.

1 오른쪽 도형에서 색칠한 부분의 넓이는 몇 cm²인지 풀이 과정을
쓰고 답을 구하시오.

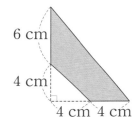

✏ (색칠한 부분의 넓이)$=(8 \times \boxed{} \div 2)-(\boxed{} \times 4 \div 2)$

$=\boxed{}-\boxed{}$

$=\boxed{} (cm^2)$

따라서 색칠한 부분의 넓이는 $\boxed{}$ cm²입니다.

답

2 오른쪽 도형에서 색칠한 부분의 넓이는 몇 cm²인지 풀이 과
정을 쓰고 답을 구하시오.

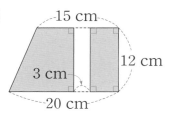

✏ (색칠한 부분의 넓이)$=\{(15+\boxed{}) \times \boxed{} \div 2\}-(\boxed{} \times 12)$

$=\boxed{}-\boxed{}$

$=\boxed{} (cm^2)$

따라서 색칠한 부분의 넓이는 $\boxed{}$ cm²입니다.

답

1 오른쪽 도형에서 색칠한 부분의 넓이는 몇 cm²인지 풀이 과정을 쓰고 답을 구하시오. (4점)

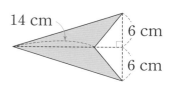

답 _____

2 오른쪽 도형에서 색칠한 부분의 넓이는 몇 cm²인지 풀이 과정을 쓰고 답을 구하시오. (4점)

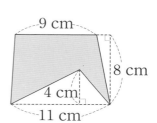

답 _____

3 오른쪽 도형에서 색칠한 부분의 넓이는 몇 cm²인지 풀이 과정을 쓰고 답을 구하시오. (4점)

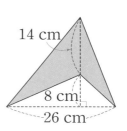

답 _____

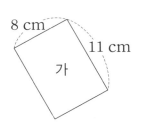 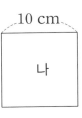

1 가는 직사각형이고 나는 정사각형입니다. 둘레가 더 긴 사각형은 어느 것인지 풀이 과정을 쓰고 답을 구하시오. (5점)

답 _____

2 오른쪽 도형에서 작은 정사각형의 한 변의 길이는 3 cm입니다. 이 도형의 둘레는 몇 cm인지 풀이 과정을 쓰고 답을 구하시오. (5점)

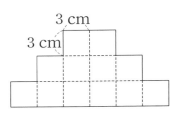

답 _____

3 오른쪽 도형의 넓이는 몇 cm²인지 2가지 방법으로 설명하고 답을 구하시오. (6점)

[방법 1]

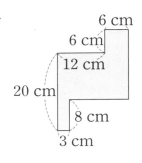

[방법 2]

답 _____

4 오른쪽 마름모의 넓이를 삼각형 4개로 나누어 구하려고 합니다. 풀이 과정을 쓰고 답을 구하시오. (4점)

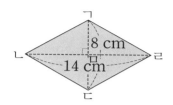

답 _____

5 넓이가 같고 모양이 다른 평행사변형을 그려 보고, 그린 방법을 설명하시오. (4점)

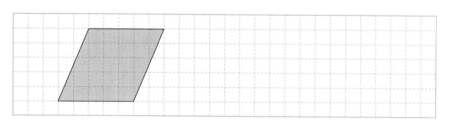

6 오른쪽 도형에서 색칠한 부분의 넓이는 몇 cm²인지 풀이 과정을 쓰고 답을 구하시오. (5점)

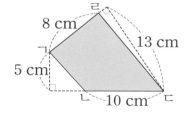

답 _____

식빵 빨리 굽기

식빵 2개를 한꺼번에 구울 수 있는 후라이펜으로 1분 30초 동안 3개의 식빵을 양면으로 구워 주세요!
단, 한면이 익는 시간은 30초입니다.

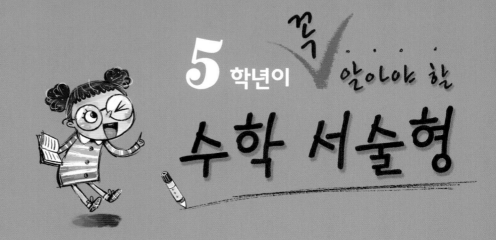

5 학년이 꼭✔..... 알아야 한

수학 서술형

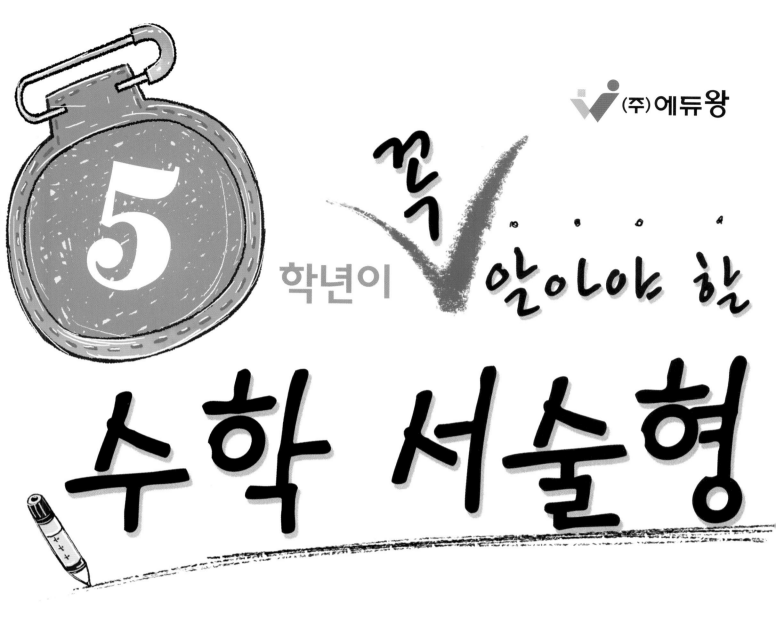

5

학년이 꼭 √ 알아야 한

수학 서술형

(주)에듀왕

정답과 풀이

(주)에듀왕
www.eduwang.com

정답과 풀이

정답과 풀이

1 자연수의 혼합 계산

1. 자연수의 혼합 계산(1)

1 60, 60, 72 / 곱셈에 ○표

2 9, 7, 2 / 나눗셈에 ○표, 뺄셈에 ○표

1

🖋 덧셈, 뺄셈, 나눗셈이 섞여 있는 식은 나눗셈을 먼저 계산해야 하는데 앞에서부터 차례로 계산하였습니다.

$$84 \div 7 - 3 + 18 \div 9 = 12 - 3 + 18 \div 9$$
$$= 12 - 3 + 2$$
$$= 9 + 2$$
$$= 11$$

평가 기준	계산이 틀린 이유를 설명한 경우	2점	합 4점
	바르게 고쳐 계산한 경우	2점	

2

🖋 ( )가 있는 식에서는 ( ) 안을 먼저 계산해야 하는데 앞에서부터 차례로 계산하였습니다.

$$(14 + 7) \times (22 - 7) = 21 \times (22 - 7)$$
$$= 21 \times 15$$
$$= 315$$

평가 기준	계산이 틀린 이유를 설명한 경우	2점	합 4점
	바르게 고쳐 계산한 경우	2점	

3

🖋 ( ) 안 ➡ 곱셈과 나눗셈 ➡ 덧셈과 뺄셈의 순서로 계산하지 않았습니다.

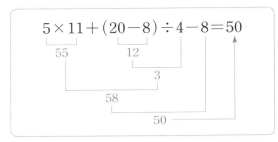

$$5 \times 11 + (20 - 8) \div 4 - 8 = 50$$

평가 기준	계산이 틀린 이유를 설명한 경우	2점	합 4점
	바르게 고쳐 계산한 경우	2점	

1. 자연수의 혼합 계산(2)

1 28, 4, 3, 7, 21   **답** 21개

2 6, 13, 29, 48, 35, 64   **답** 64대

3 87, 4, 7, 70, 17   **답** 17장

1

🖋 [문제] 예 버스에 32명이 타고 출발하여 이번 정류장에서 17명이 내리고 21명이 탔습니다. 지금 버스 안에 있는 사람은 몇 명입니까?

[풀이] $32 - 17 + 21 = 15 + 21 = 36$(명)

답 예 36명

평가 기준	식에 알맞은 문제를 만든 경우	3점	합 6점
	식을 바르게 계산하여 문제에 알맞은 답을 구한 경우	3점	

2

🖋 [문제] 예 여학생 15명은 3명씩 몇 모둠을 만들고, 남학생 20명은 4명씩 몇 모둠을 만들었습니다. 만든 모둠은 모두 몇 모둠입니까?

[풀이] $15 \div 3 + 20 \div 4$
$$= 5 + 20 \div 4 = 5 + 5 = 10$$(모둠)

답 예 10모둠

평가기준	식에 알맞은 문제를 만든 경우	3점	합 6점
	식을 바르게 계산하여 문제에 알맞은 답을 구한 경우	3점	

3

🖉 [문제] 예 구슬 40개를 학생 16명이 남김없이 똑같이 나누어 가지려고 하다가 남학생 4명과 여학생 8명이 집으로 돌아가서 나머지 학생들끼리만 똑같이 나누어 가졌습니다. 한 사람이 가지게 된 구슬은 몇 개입니까?

[풀이] $40 \div (16 - 4 - 8)$
$= 40 \div (12 - 8)$
$= 40 \div 4 = 10$(개)

답 예 10개

평가기준	식에 알맞은 문제를 만든 경우	3점	합 6점
	식을 바르게 계산하여 문제에 알맞은 답을 구한 경우	3점	

1. 자연수의 혼합 계산 (3)

서술형 완성하기   p. 8

1 4, 6, 12, 12   답 12개

2 1000, 2000, 3000, 3300, 3300
답 3300원

서술형 정복하기   p. 9

1

🖉 (지금 현주가 가지고 있는 붙임 딱지 수)
＝(처음에 가지고 있던 붙임 딱지 수)
　－(학용품에 붙인 붙임 딱지 수)
　＋(언니에게 받은 붙임 딱지 수)
＝$51 - 24 + 8 = 27 + 8 = 35$(장)
따라서 지금 현주가 가지고 있는 붙임 딱지는 35장입니다.   답 35장

평가기준	하나의 식으로 나타낸 경우	2점	합 5점
	식을 바르게 계산하여 답을 구한 경우	3점	

2

🖉 (남은 비스킷의 수)
＝(산 비스킷의 수)－(먹은 비스킷의 수)
＝$12 \times 5 - 6 \times 7 = 60 - 42 = 18$(개)
따라서 남은 비스킷은 18개입니다.

답 18개

평가기준	하나의 식으로 나타낸 경우	2점	합 5점
	식을 바르게 계산하여 답을 구한 경우	3점	

3

🖉 (내야 하는 돈)
＝(사과 2개의 값)＋(감 7개의 값)
＝$850 \times 2 + 7200 \div 12 \times 7$
＝$1700 + 4200 = 5900$(원)
따라서 윤기는 모두 5900원을 내야 합니다.

답 5900원

평가기준	하나의 식으로 나타낸 경우	2점	합 5점
	식을 바르게 계산하여 답을 구한 경우	3점	

1. 자연수의 혼합 계산 (4)

서술형 완성하기   p. 10

1 95, 88, 38, 38   답 38개

2 13, 21, 42, 47, 47   답 47개

서술형 정복하기   p. 11

1

🖉 (한 사람에게 나누어 줄 수 있는 쿠키 수)
＝(전체 쿠키 수)÷(나누어 주려는 사람 수)
＝$20 \div (3 + 2) = 20 \div 5 = 4$(개)
따라서 한 사람에게 4개씩 나누어 줄 수 있습니다.

답 4개

평가기준	하나의 식으로 나타낸 경우	2점	합 5점
	식을 바르게 계산하여 답을 구한 경우	3점	

2

(남은 돈)

$=$ (가지고 있던 돈) $-$ (산 물건값)

$=10000-(950\times3+2800\div4\times3)$

$=10000-(2850+2100)$

$=10000-4950=5050$(원)

따라서 소영이가 음료수와 라면을 사고 남은 돈은 5050원입니다.

답 5050원

평가 기준	하나의 식으로 나타낸 경우	2점	합 5점
	식을 바르게 계산하여 답을 구한 경우	3점	

3

(남은 풍선 수)

$=$ (처음에 가지고 있던 풍선 수)

   $-$ {(나누어 준 풍선 수)$+$(버린 풍선 수)}

$=36-(6\times3+5)$

$=36-(18+5)$

$=36-23=13$(개)

따라서 남은 풍선은 13개입니다.

답 13개

평가 기준	하나의 식으로 나타낸 경우	2점	합 5점
	식을 바르게 계산하여 답을 구한 경우	3점	

1. 자연수의 혼합 계산 (5)

서술형 완성하기   p. 12

1 2, 7, 9, 11, 7, 9, 11, 12, 36   **답** 36개

2 2, 10, 12, 10, 12, 14, 42   **답** 42개

서술형 정복하기   p. 13

1

구슬이 6개씩 많아지는 규칙이므로 네 번째에 $18+6=24$(개) 놓입니다.

따라서 처음부터 네 번째까지의 구슬을 모두 더하면 $6+12+18+24=30\times2=60$(개)입니다.

답 60개

평가 기준	구슬이 놓인 규칙을 바르게 설명한 경우	2점	합 5점
	처음부터 네 번째까지의 구슬의 수의 합을 구한 경우	3점	

2

공깃돌이 3개씩 많아지는 규칙이므로

네 번째에는 $9+3=12$(개),

다섯 번째에는 $12+3=15$(개),

여섯 번째에는 $15+3=18$(개) 놓입니다.

따라서 처음부터 여섯 번째까지 놓이는 공깃돌을 모두 더하면

$3+6+9+12+15+18=21\times3=63$(개)

입니다.

답 63개

평가 기준	공깃돌이 놓인 규칙을 바르게 설명한 경우	2점	합 5점
	처음부터 여섯 번째까지 놓이는 공깃돌 수의 합을 구한 경우	3점	

3

동전이 3개씩 많아지는 규칙이므로

다섯 번째에는 $10+3=13$(개),

여섯 번째에는 $13+3=16$(개) 놓입니다.

처음부터 여섯 번째까지의 동전을 모두 더하면

$1+4+7+10+13+16=17\times3=51$(개)

입니다.

따라서 처음부터 여섯 번째까지 놓인 동전의 금액은 모두 510원입니다.

답 510원

평가 기준	동전이 놓인 규칙을 바르게 설명한 경우	2점	합 6점
	동전 수의 합을 구한 경우	2점	
	동전의 금액을 구한 경우	2점	

1. 자연수의 혼합 계산 (6)

서술형 완성하기
p. 14

1 3, 2

2 3, 2, 21 **답** 21개

서술형 정복하기
p. 15

1

🖉 변이 5개인 도형을 1개 만들 때에는 면봉이 5개 필요하고 변이 5개인 도형을 1개씩 더 만들 때마다 면봉은 4개씩 더 필요합니다.
따라서 변이 5개인 도형을 7개 만드는 데 필요한 면봉은 모두 $5+4 \times (7-1) = 29$(개)입니다.

답 29개

평가 기준	필요한 면봉 개수의 규칙을 설명한 경우	2점	합 5점
	변이 5개인 도형을 7개 만드는 데 필요한 면봉의 개수를 구한 경우	3점	

2

🖉 정사각형을 1개 만들 때에는 면봉이 4개 필요하고 정사각형을 1개씩 더 만들 때마다 면봉은 3개씩 더 필요합니다.
따라서 정사각형을 12개 만드는 데 필요한 면봉은 모두 $4+3 \times (12-1) = 37$(개)입니다.

답 37개

평가 기준	필요한 면봉 개수의 규칙을 설명한 경우	2점	합 5점
	정사각형을 12개 만드는 데 필요한 면봉의 개수를 구한 경우	3점	

3

🖉 정사각형 1개를 만든 후 더 만드는 정사각형의 개수를 ☐개라 하면
$4+3 \times ☐ = 61$, $3 \times ☐ = 57$, $☐ = 19$입니다.
따라서 면봉 61개로 만들 수 있는 정사각형은 $19+1 = 20$(개)입니다.

답 20개

평가 기준	규칙에 따라 면봉의 개수를 나타내는 식을 이용하여 풀이 과정을 전개한 경우	3점	합 6점
	풀이 과정에 맞도록 올바른 답을 구한 경우	3점	

실전! 서술형
p. 16 ~ 17

1

🖉 ( ) 안을 계산한 후 곱셈과 나눗셈을 먼저 계산해야 하는데 덧셈을 먼저 계산하였습니다.

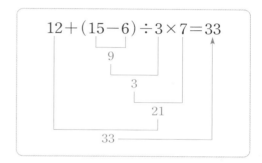

평가 기준	계산이 틀린 이유를 설명한 경우	2점	합 4점
	바르게 고쳐 계산한 경우	2점	

2

🖉 [문제] ⑩ 사탕이 한 봉지에 12개씩 들어 있습니다. 연주는 이 사탕을 3봉지 사서 8개를 동생에게 주고 남은 것은 현규와 똑같이 나누어 가졌습니다. 연주가 가지고 있는 사탕은 몇 개입니까?
[풀이] $(12 \times 3 - 8) \div 2$
$= (36-8) \div 2$
$= 28 \div 2 = 14$(개)

답 ⑩ 14개

평가 기준	식에 알맞은 문제를 만든 경우	3점	합 6점
	식을 바르게 계산하여 문제에 알맞은 답을 구한 경우	3점	

3

🖉 (여학생 수) = (전체 학생 수) − (남학생 수)
$= 67+98-74$
$= 165-74 = 91$(명)
따라서 여학생은 91명입니다.

답 91명

정답과 풀이

평가 기준	하나의 식으로 나타낸 경우	2점	합
	식을 바르게 계산하여 답을 구한 경우	3점	5점

4

✐ (한 사람에게 나누어 주어야 하는 연필 수)
＝(나누어 주려는 연필 수)
　÷(나누어 주려는 사람 수)
＝$(12 \times 16 - 36) \div (8 + 4)$
＝$(192 - 36) \div 12$
＝$156 \div 12 = 13$(자루)
따라서 한 사람에게 13자루씩 나누어 주면
됩니다.

답 13자루

평가 기준	하나의 식으로 나타낸 경우	2점	합
	식을 바르게 계산하여 답을 구한 경우	3점	5점

5

✐ 공이 3개씩 많아지는 규칙이므로 네 번째에는
$7 + 3 = 10$(개), 다섯 번째에는 $10 + 3 = 13$
(개), 여섯 번째에는 $13 + 3 = 16$(개) 놓입니다.
따라서 처음부터 여섯 번째까지의 공을 모두
더하면
$1 + 4 + 7 + 10 + 13 + 16 = 17 \times 3 = 51$(개)

입니다.

답 51개

평가 기준	공이 놓인 규칙을 바르게 설명한 경우	2점	합
	처음부터 여섯 번째까지 놓이는 공의 수의 합을 구한 경우	3점	5점

6

✐ 정삼각형을 1개 만들 때에는 면봉이 3개 필
요하고, 정삼각형을 1개씩 더 만들 때마다 면
봉은 2개씩 더 필요합니다.
따라서 정삼각형을 20개 만드는 데 필요한
면봉은 모두 $3 + 2 \times (20 - 1) = 41$(개)입니다.

답 41개

평가 기준	필요한 면봉 개수의 규칙을 설명한 경우	2점	합
	정삼각형을 20개 만드는 데 필요한 면봉의 개수를 구한 경우	3점	5점

---

② 약수와 배수

2. 약수와 배수 (1)

서술형 완성하기　　　　p. 20

1 72, 8, 9 / 8

2 2, 4, 2, 8, 2, 4, 4 / 2, 5, 2, 2, 2, 4

3 8, 12, 24, 12, 24, 12, 12 / 2, 2, 12

서술형 정복하기　　　　p. 21

1

✐ [방법 1] $168 \div 14 = 12$로 168이 14로 나누
어떨어지므로 14는 168의 약수입니
다.
[방법 2] $14 \times 12 = 168$이므로 14는 168의
약수입니다.

평가 기준	1가지 방법을 설명할 때마다 2점씩 배점하여 총 4점이 되도록 평가합니다.	합 4점

2

✐ [방법 1] 18의 약수는 1, 2, 3, 6, 9, 18이고,
30의 약수는 1, 2, 3, 5, 6, 10, 15,
30입니다. 따라서 공약수는 1, 2, 3,
6이고, 최대공약수는 6입니다.
[방법 2] $18 = 2 \times 3 \times 3$이고, $30 = 2 \times 3 \times 5$
이므로 최대공약수는 $2 \times 3 = 6$입니
다.

평가 기준	1가지 방법을 설명할 때마다 2점씩 배점하여 총 4점이 되도록 평가합니다.	합 4점

3

✐ [방법 1] 9의 배수는 9, 18, 27, 36, 45, 54,
63, 72, 81, 90, ……이고, 15의 배수
는 15, 30, 45, 60, 75, 90, ……입니
다. 따라서 공배수는 45, 90, ……이
고, 최소공배수는 45입니다.
[방법 2] 3)9　15　➡ 9와 15의 최소공배수는
　　3　5　　$3 \times 3 \times 5 = 45$입니다.

평가 기준	1가지 방법을 설명할 때마다 2점씩 배점 하여 총 4점이 되도록 평가합니다.	합 4점

2. 약수와 배수 (2)

서술형 완성하기   p. 22

1 5, 5, 5, 13, 65   답 65

2 7, 7, 7, 12, 84   답 84

서술형 정복하기   p. 23

1

🖉 9의 배수들을 가장 작은 자연수부터 나열한 것입니다.
따라서 열다섯 번째 수는 9를 15배 한 수인 $9 \times 15 = 135$입니다.

답 135

평가 기준	9의 배수임을 알아낸 경우	2점	합 4점
	열다섯 번째 수를 구한 경우	2점	

2

🖉 12의 배수들을 가장 작은 자연수부터 나열한 것입니다.
따라서 열일곱 번째 수는 12를 17배 한 수인 $12 \times 17 = 204$입니다.

답 204

평가 기준	12의 배수임을 알아낸 경우	2점	합 4점
	열일곱 번째 수를 구한 경우	2점	

3

🖉 8의 배수들을 가장 작은 자연수부터 나열한 것입니다.
따라서 $120 = 8 \times 15$에서 120은 8의 15배이므로 열다섯 번째 수입니다.

답 열다섯 번째

평가 기준	8의 배수임을 알아낸 경우	2점	합 5점
	120은 8의 15배임을 구한 경우	2점	
	120은 몇 번째 수인지 구한 경우	1점	

2. 약수와 배수 (3)

서술형 완성하기   p. 24

1 18, 18   답 18명

2 100, 100, 9, 40   답 오전 9시 40분

서술형 정복하기   p. 25

1

🖉 두 색 테이프의 한 도막의 길이를 될 수 있는 대로 길게 하려면 32와 48의 최대공약수를 구합니다.
따라서 32와 48의 최대공약수는 16이므로 색 테이프를 16 cm씩 잘라야 합니다.

답 16 cm

평가 기준	32와 48의 최대공약수를 구한 경우	2점	합 4점
	한 도막의 길이를 구한 경우	2점	

2

🖉 두 버스는 10과 15의 최소공배수인 30분마다 동시에 출발합니다.
따라서 다음 번에 동시에 출발하는 시각은 오전 8시 10분에서 30분 후인 오전 8시 40분입니다.

답 오전 8시 40분

평가 기준	10과 15의 최소공배수를 구한 경우	2점	합 4점
	다음 번에 동시에 출발하는 시각을 구한 경우	2점	

3

🖉 두 엘리베이터는 6과 9의 최소공배수인 18개월마다 동시에 검사합니다.
따라서 다음 번에 동시에 검사하는 달은 18개월=1년 6개월 후인 내년 7월입니다.

답 7월

평가 기준	6과 9의 최소공배수를 구한 경우	2점	합 5점
	다음 번에 동시에 검사하는 달을 구 한 경우	3점	

정답과 풀이

2. 약수와 배수 (4)

서술형 완성하기   p. 26

1 3, 10, 15, 5, 10, 6, 15, 15, 15   답 15

서술형 정복하기   p. 27

1

21의 약수는 1, 3, 7, 21이고, 60의 약수는 1, 2, 3, 4, 5, 6, 10, 12, 15, 20, 30, 60입니다.
21의 약수이면서 60의 약수가 아닌 수 7, 21 중에서 한 자리 수는 7입니다.
따라서 조건을 모두 만족하는 수는 7입니다.

답 7

평가 기준	21의 약수를 구한 경우	2점	합 5점
	60의 약수를 구한 경우	2점	
	조건을 모두 만족하는 수를 구한 경우	1점	

2

84의 약수는 1, 2, 3, 4, 6, 7, 12, 14, 21, 28, 42, 84이고, 28의 약수는 1, 2, 4, 7, 14, 28입니다.
84의 약수이면서 28의 약수가 아닌 수 3, 6, 12, 21, 42, 84 중에서 가장 높은 자리의 숫자가 2인 수는 21입니다.
따라서 조건을 모두 만족하는 수는 21입니다.

답 21

평가 기준	84의 약수를 구한 경우	2점	합 5점
	28의 약수를 구한 경우	2점	
	조건을 모두 만족하는 수를 구한 경우	1점	

3

40의 약수는 1, 2, 4, 5, 8, 10, 20, 40이고, 8의 약수는 1, 2, 4, 8입니다.
40의 약수이면서 8의 약수가 아닌 수 5, 10, 20, 40 중에서 홀수는 5입니다.
따라서 조건을 모두 만족하는 수는 5입니다.

답 5

평가 기준	40의 약수를 구한 경우	2점	합 5점
	8의 약수를 구한 경우	2점	
	조건을 모두 만족하는 수를 구한 경우	1점	

2. 약수와 배수 (5)

서술형 완성하기   p. 28

1 14, 28, 7, 8, 14, 7, 14, 14   답 14

2 10, 15, 5, 6, 10, 2, 5, 10   답 10

서술형 정복하기   p. 29

1

3의 배수는 3, 6, 9, 12, ……입니다.
3의 약수는 1, 3이고 합은 4이므로 조건에 맞지 않습니다.
6의 약수는 1, 2, 3, 6이고 합은 12이므로 조건에 맞지 않습니다.
9의 약수는 1, 3, 9이고 합은 13이므로 조건에 맞습니다.
따라서 어떤 수는 9입니다.

답 9

평가 기준	3의 배수를 구한 경우	2점	합 5점
	3의 배수들의 약수를 구하여 조건에 맞는지 확인한 경우	2점	
	어떤 수를 구한 경우	1점	

2

8의 배수는 8, 16, 24, 32, ……입니다.
8의 약수는 1, 2, 4, 8이고 합은 15이므로 조건에 맞지 않습니다.
16의 약수는 1, 2, 4, 8, 16이고 합은 31이므로 조건에 맞습니다.
따라서 어떤 수는 16입니다.

답 16

평가 기준	8의 배수를 구한 경우	2점	합 5점
	8의 배수들의 약수를 구하여 조건에 맞는지 확인한 경우	2점	
	어떤 수를 구한 경우	1점	

3

15의 배수는 15, 30, 45, 60, ……입니다.
15의 약수는 1, 3, 5, 15이고 합은 24이므로 조건에 맞지 않습니다.

30의 약수는 1, 2, 3, 5, 6, 10, 15, 30이고
합은 72이므로 조건에 맞습니다.
따라서 어떤 수는 30입니다.

답 30

평가 기준	15의 배수를 구한 경우	2점	합 5점
	15의 배수들의 약수를 구하여 조건에 맞는지 확인한 경우	2점	
	어떤 수를 구한 경우	1점	

2. 약수와 배수 (6)

서술형 완성하기   p. 30

1 35, 42, 35, 42, 35, 42, 7, 7   **답** 7

2 32, 56, 32, 56, 32, 56, 4, 8, 8   **답** 8

서술형 정복하기   p. 31

1

✏ 31−4=27과 49−4=45를 어떤 수로 나
누면 모두 나누어떨어지므로 어떤 수는 27과
45의 공약수 중에서 나머지 4보다 큰 수입니
다.
따라서 27과 45의 공약수는 1, 3, 9이므로
어떤 수는 9입니다.

답 9

평가 기준	어떤 수의 조건을 안 경우	2점	합 5점
	27과 45의 공약수를 구한 경우	2점	
	어떤 수를 구한 경우	1점	

2

✏ 41−5=36과 45−3=42를 어떤 수로 나
누면 모두 나누어떨어지므로 어떤 수는 36과
42의 공약수 중에서 나머지 5보다 큰 수입니
다.
따라서 36과 42의 공약수는 1, 2, 3, 6이므
로 어떤 수는 6입니다.

답 6

평가 기준	어떤 수의 조건을 안 경우	2점	합 5점
	36과 42의 공약수를 구한 경우	2점	
	어떤 수를 구한 경우	1점	

3

✏ 29−1=28과 35−3=32를 어떤 수로 나
누면 모두 나누어떨어지므로 어떤 수는 28과
32의 공약수 중에서 나머지 3보다 큰 수입니
다.
따라서 28과 32의 공약수는 1, 2, 4이므로
어떤 수는 4입니다.

답 4

평가 기준	어떤 수의 조건을 안 경우	2점	합 5점
	28과 32의 공약수를 구한 경우	2점	
	어떤 수를 구한 경우	1점	

실전! 서술형   p. 32 ~ 33

1

✏ [방법 1] 12의 배수는 12, 24, 36, 48, 60,
72, 84, 96, 108, 120, ······이고,
15의 배수는 15, 30, 45, 60, 75,
90, 105, 120, ······입니다. 따라서
공배수는 60, 120, ······이고, 최소공
배수는 60입니다.
[방법 2] 12=2×2×3이고, 15=3×5이므
로 최소공배수는 3×2×2×5=60
입니다.

평가 기준	1가지 방법을 설명할 때마다 2점씩 배점하여 총 4점이 되도록 평가합니다.	합 4점

2

✏ 6의 배수들을 가장 작은 자연수부터 나열한
것입니다.
따라서 18번째 수는 6을 18배 한 수인
6×18=108이고, 21번째 수는 6을 21배 한
수인 6×21=126이므로 합은
108+126=234입니다.

답 234

평가기준	6의 배수인지 안 경우	1점	
	18번째와 21번째 수를 각각 구한 경우	3점	합 5점
	18번째와 21번째 수의 합을 구한 경우	1점	

3

🖉 가장 큰 정사각형을 만들려면 16과 20의 최대공약수를 구합니다.

16과 20의 최대공약수는 4이므로 한 변은 4 cm입니다.

따라서 종이를 잘라 가장 큰 정사각형을 가로로 $16 \div 4 = 4$(장), 세로로 $20 \div 4 = 5$(장)씩 모두 $4 \times 5 = 20$(장) 만들 수 있습니다.

답 20장

평가기준	16과 20의 최대공약수를 구한 경우	2점	
	한 변의 길이를 구한 경우	1점	합 5점
	모두 몇 장 만들 수 있는지 구한 경우	2점	

4

🖉 90의 약수는 1, 2, 3, 5, 6, 9, 10, 15, 18, 30, 45, 90이고, 45의 약수는 1, 3, 5, 9, 15, 45입니다.

90의 약수이면서 45의 약수가 아닌 수 2, 6, 10, 18, 30, 90 중에서 18의 배수는 18, 90입니다.

따라서 조건을 모두 만족하는 수는 모두 2개입니다.

답 2개

평가기준	90의 약수를 구한 경우	2점	
	45의 약수를 구한 경우	2점	합 5점
	조건을 모두 만족하는 수의 개수를 구한 경우	1점	

5

🖉 14의 배수는 14, 28, 42, ……입니다.

14의 약수는 1, 2, 7, 14이고 합은 24이므로 조건에 맞지 않습니다.

28의 약수는 1, 2, 4, 7, 14, 28이고 합은 56이므로 조건에 맞지 않습니다.

42의 약수는 1, 2, 3, 6, 7, 14, 21, 42이고 합은 96이므로 조건에 맞습니다.

따라서 어떤 수는 42입니다.

답 42

평가기준	14의 배수를 구한 경우	2점	
	14의 배수들의 약수를 구하여 조건에 맞는지 확인한 경우	2점	합 5점
	어떤 수를 구한 경우	1점	

6

🖉 $59 - 3 = 56$과 $75 - 5 = 70$을 어떤 수로 나누면 모두 나누어떨어지므로 어떤 수는 56과 70의 공약수 중에서 가장 큰 수입니다.

따라서 56과 70의 최대공약수는 14이므로 어떤 수 중 가장 큰 수는 14입니다.

답 14

평가기준	어떤 수의 조건을 안 경우	2점	
	56과 70의 최대공약수를 구한 경우	2점	합 5점
	어떤 수를 구한 경우	1점	

3 규칙과 대응

3. 규칙과 대응 (1)

서술형 완성하기   p. 36

1 2, 3, 5, 5   답   예 $\triangle = \blacksquare - 5$

2 12, 11, 1, 0, 15, 15, 15, 15

     답   예 $\odot = 15 - \blacktriangledown$

서술형 정복하기   p. 37

1

 ★이 4일 때 ●는 17, ★이 5일 때 ●는 18, ……이므로 ●는 ★보다 13 큽니다.

따라서 ★과 ● 사이의 대응 관계를 식으로 나타내면 ●=★+13입니다.

           답   예 ●=★+13

평가 기준	대응 관계를 바르게 설명한 경우	2점	합 4점
	대응 관계를 식으로 알맞게 나타낸 경우	2점	

2

 △가 1일 때 ◈는 9, △가 3일 때 ◈는 27, ……이므로 ◈는 △의 9배입니다.

따라서 △와 ◈ 사이의 대응 관계를 식으로 나타내면 ◈=△×9입니다.

           답   예 ◈=△×9

평가 기준	대응 관계를 바르게 설명한 경우	2점	합 4점
	대응 관계를 식으로 알맞게 나타낸 경우	2점	

3

♡	1	2	3	4	5	6	7
♣	42	41	40	39	38	37	36

1+42=43, 3+40=43, ……이므로 ♡와 ♣의 합은 43입니다.

따라서 ♡와 ♣ 사이의 대응 관계를 식으로 나타내면 ♣=43-♡입니다.

           답   예 ♣=43-♡

평가 기준	빈칸에 알맞은 수를 모두 바르게 써넣은 경우	1점	합 5점
	대응 관계를 바르게 설명한 경우	2점	
	대응 관계를 식으로 알맞게 나타낸 경우	2점	

3. 규칙과 대응 (2)

서술형 완성하기   p. 38

1 15, 16, 17, 18, 4, 4   답   예 ♡=♣+4

2 5, 6, 7, 1, 1

     답   (색 테이프 도막의 수)=(자른 횟수)+1

서술형 정복하기   p. 39

1

연필 타 수(타)	1	2	3	4	5	……
연필 수(자루)	12	24	36	48	60	……

➡ 연필 수는 연필 타 수의 12배입니다.

따라서 ◆와 □ 사이의 대응 관계를 식으로 나타내면 □=◆×12입니다.

           답   예 □=◆×12

평가 기준	연필 타 수와 연필 수 사이의 대응 관계를 바르게 설명한 경우	2점	합 4점
	대응 관계를 식으로 알맞게 나타낸 경우	2점	

2

서울	오전 9시	오전 10시	오전 11시	낮 12시	오후 1시	오후 2시
밀라노	오전 1시	오전 2시	오전 3시	오전 4시	오전 5시	오전 6시

서울이 오전 9시일 때 밀라노는 오전 1시이고 서울이 오전 10시일 때 밀라노는 오전 2시이므로 밀라노가 서울보다 8시간 느립니다.

따라서 서울과 밀라노의 시각 사이의 대응 관계를 식으로 나타내면 (밀라노)=(서울)-8입니다.

           답   예 (밀라노)=(서울)-8

정답과 풀이

평가 기준	빈칸에 알맞은 시각을 바르게 쓴 경우	1점	합 5점
	서울과 밀라노의 시각 사이의 대응 관계를 바르게 설명한 경우	2점	
	대응 관계를 식으로 알맞게 나타낸 경우	2점	

3

✏️

사진의 수(장)	1	2	3	4	……
누름 못의 수(개)	2	3	4	5	……

➡️ 누름 못의 수는 사진의 수보다 1 많습니다.
따라서 ♤와 ⊙ 사이의 대응 관계를 식으로 나타내면 ⊙＝♤＋1입니다.

답 예) ⊙＝♤＋1

평가 기준	사진의 수와 누름 못의 수 사이의 대응 관계를 바르게 설명한 경우	2점	합 4점
	대응 관계를 식으로 알맞게 나타낸 경우	2점	

3. 규칙과 대응 (3)

서술형 완성하기　　　　　p. 40

1　4, 8, 12, 16, 4, 4, 4, 80
답　80 cm

서술형 정복하기　　　　　p. 41

1

✏️

한 변에 있는 작은 정삼각형의 개수(♤)	1	2	3	4	……
가장 큰 정삼각형의 세 변의 길이의 합(●)	6	12	18	24	……

➡️ 가장 큰 정삼각형의 세 변의 길이의 합은 한 변에 있는 작은 정삼각형의 개수의 6배이므로 ●＝♤×6입니다.
따라서 한 변에 있는 작은 정삼각형이 10개일 때 가장 큰 정삼각형의 세 변의 길이의 합은 ♤가 10일 때 ●의 값을 구하면 되므로 10×6＝60(cm)입니다.

답　60 cm

평가 기준	♤와 ● 사이의 대응 관계를 식으로 바르게 나타낸 경우	3점	합 6점
	♤와 ● 사이의 대응 관계를 이용하여 답을 구한 경우	3점	

2

✏️

사용한 면봉의 수(■)	3	6	9	12	……
쌓은 탑의 층수(▽)	1	2	3	4	……

➡️ 쌓은 탑의 층수는 사용한 면봉의 수를 3으로 나눈 몫과 같으므로 ▽＝■÷3입니다.
따라서 쌓은 탑이 8층일 때 사용한 면봉의 수는 ▽가 8일 때 ■의 값을 구하면 되므로 8＝■÷3에서 ■＝8×3＝24(개)입니다.

답　24개

평가 기준	■와 ▽ 사이의 대응 관계를 식으로 바르게 나타낸 경우	3점	합 6점
	■와 ▽ 사이의 대응 관계를 이용하여 답을 구한 경우	3점	

실전! 서술형　　　　　p. 42~43

1

✏️ ○가 5일 때 ◈는 9, ○가 6일 때 ◈는 10, ……이므로 ◈는 ○보다 4 큰 수입니다.
따라서 ○와 ◈ 사이의 대응 관계를 식으로 나타내면 ◈＝○＋4입니다.

답 예) ◈＝○＋4

평가 기준	대응 관계를 바르게 설명한 경우	2점	합 4점
	대응 관계를 식으로 알맞게 나타낸 경우	2점	

2

✏️

□	1	2	3	4	5	6
△	7	14	21	28	35	42

□가 1일 때 △는 7, □가 2일 때 △는 14, ……이므로 △는 □의 7배입니다.
따라서 □와 △ 사이의 대응 관계를 식으로 나타내면 △＝□×7입니다.

답 예) △＝□×7

빈칸에 알맞은 수를 모두 바르게 써 넣은 경우	1점	
대응 관계를 바르게 설명한 경우	2점	합 5점
대응 관계를 식으로 알맞게 나타낸 경우	2점	

3

구슬의 수(개)	12	24	36	48	60	⋯⋯
팔찌의 수(개)	1	2	3	4	5	⋯⋯

➡ 팔찌의 수는 구슬의 수를 12로 나눈 몫입니다.

따라서 ▲와 ♥ 사이의 대응 관계를 식으로 나타내면 ♥＝▲÷12입니다.

답 예 ♥＝▲÷12

구슬의 수와 팔찌의 수 사이의 대응 관계를 바르게 설명한 경우	2점	합 4점
대응 관계를 식으로 알맞게 나타낸 경우	2점	

4

달걀판의 수(□)	1	2	3	4	⋯⋯
달걀의 수(△)	10	20	30	40	⋯⋯

➡ 달걀의 수는 달걀판의 수의 10배이므로 △＝□×10입니다.

따라서 달걀이 80개이면 80＝□×10에서 □＝8이므로 달걀판은 8개입니다.

답 8개

□와 △ 사이의 대응 관계를 식으로 바르게 나타낸 경우	3점	합 6점
□와 △ 사이의 대응 관계를 이용하여 답을 바르게 구한 경우	3점	

5

사용한 쌓기나무의 수(♤)	5	10	15	20	⋯⋯
쌓은 탑의 층수(♣)	1	2	3	4	⋯⋯

➡ 쌓은 탑의 층수는 사용한 쌓기나무의 수를 5로 나눈 몫과 같으므로 ♣＝♤÷5입니다.

따라서 쌓기나무를 65개 사용하여 쌓은 탑의 층수는 ♤가 65일 때 ♣의 값을 구하면 되므로 65÷5＝13(층)입니다.

답 13층

♤와 ♣ 사이의 대응 관계를 식으로 바르게 나타낸 경우	3점	합 6점
♤와 ♣ 사이의 대응 관계를 이용하여 답을 바르게 구한 경우	3점	

정답과 풀이

④ 약분과 통분

4. 약분과 통분 (1)

서술형 완성하기　　　　　p. 46

1 [방법 1] $\frac{1}{3}$

$\frac{3}{9}$

[방법 2] 3, 3, 3

2 [방법 1] $\frac{6}{14}$

$\frac{3}{7}$

[방법 2] 2, 2, 2

서술형 정복하기　　　　　p. 47

1

🖉 [방법 1] 그림을 그려서 주어진 분수만큼 색칠해 봅니다.

$\frac{1}{4}$

$\frac{2}{8}$

색칠한 부분이 서로 똑같으므로 $\frac{1}{4}$ 은 $\frac{2}{8}$ 와 크기가 같습니다.

[방법 2] $\frac{1}{4}$ 의 분모와 분자에 2를 곱하면

$\frac{1}{4} = \frac{1 \times 2}{4 \times 2} = \frac{2}{8}$ 이므로 $\frac{1}{4}$ 은 $\frac{2}{8}$ 와 크기가 같습니다.

평가 기준	1가지 방법을 설명할 때마다 2점씩 배점 하여 총 4점이 되도록 평가합니다.	합 4점

2

🖉 [방법 1] 그림을 그려서 주어진 분수만큼 색칠해 봅니다.

$\frac{6}{12}$

$\frac{1}{2}$

색칠한 부분이 서로 똑같으므로 $\frac{6}{12}$ 은 $\frac{1}{2}$ 과 크기가 같습니다.

[방법 2] $\frac{6}{12}$ 의 분모와 분자를 6으로 나누면

$\frac{6}{12} = \frac{6 \div 6}{12 \div 6} = \frac{1}{2}$ 이므로 $\frac{6}{12}$ 은 $\frac{1}{2}$ 과 크기가 같습니다.

평가 기준	1가지 방법을 설명할 때마다 2점씩 배점 하여 총 4점이 되도록 평가합니다.	합 4점

3

🖉  $\frac{2}{3}$ 　　$\frac{4}{6}$

똑같은 크기의 케이크를 6조각으로 나누어 4조각을 먹어야 가영이가 먹은 양과 같아집니다.

평가 기준	그림으로 나타낸 경우	2점	합 4점
	먹어야 할 조각 수를 구한 경우	2점	

4. 약분과 통분 (2)

서술형 완성하기　　　　　p. 48

1 $\frac{5}{20}$, 5, 5, $\frac{5}{20}$

2 120, 120, 40, 120, 120, 40, 40, 7, 7

답 $\frac{3}{7}$

서술형 정복하기　　　　　p. 49

1

🖉 $\frac{17}{34}$ 은 분모와 분자의 공약수가 1, 17입니다.

따라서 17로 약분할 수 있기 때문에 $\frac{17}{34}$ 은 기약분수가 아닙니다.

평가 기준	기약분수가 아닌 것을 찾은 경우	2점	합 4점
	기약분수가 아닌 이유를 설명한 경우	2점	

2

🖊 $\frac{8}{22}$ 은 분모와 분자의 공약수가 1, 2입니다.

따라서 2로 약분할 수 있기 때문에 $\frac{8}{22}$ 은 기약분수가 아닙니다.

평가기준	기약분수가 아닌 것을 찾은 경우	2점	합
	기약분수가 아닌 이유를 설명한 경우	2점	4점

3

🖊 불량품은 전체의 $\frac{75}{450}$ 이므로 기약분수로 나타내면 $\frac{75}{450} = \frac{75 \div 75}{450 \div 75} = \frac{1}{6}$ 입니다.

따라서 불량품은 전체의 $\frac{1}{6}$ 입니다.

답 $\frac{1}{6}$

평가기준	불량품은 전체의 얼마인지 분수로 나타낸 경우	2점	합
	불량품은 전체의 얼마인지 기약분수로 나타낸 경우	2점	4점

4. 약분과 통분 (3)

서술형 완성하기
p. 50

1 [방법 1] $\frac{50}{60}$, 42, $\frac{50}{60}$, 42

[방법 2] 25, $\frac{21}{30}$, 25, $\frac{21}{30}$

2 [방법 1] 4, 0.4, 0.4

[방법 2] 4, 5, 4, 5

서술형 정복하기
p. 51

1

🖊 [방법 1] 분모의 곱을 공통분모로 하여 통분한 후 크기를 비교해 봅니다.

$$\frac{9}{10} = \frac{9 \times 8}{10 \times 8} = \frac{72}{80},$$

$$\frac{5}{8} = \frac{5 \times 10}{8 \times 10} = \frac{50}{80}$$ 이므로

$$\frac{72}{80} > \frac{50}{80} \Rightarrow \frac{9}{10} > \frac{5}{8}$$ 입니다.

[방법 2] 분모의 최소공배수를 공통분모로 하여 통분한 후 크기를 비교해 봅니다.

$$\frac{9}{10} = \frac{9 \times 4}{10 \times 4} = \frac{36}{40},$$

$$\frac{5}{8} = \frac{5 \times 5}{8 \times 5} = \frac{25}{40}$$ 이므로

$$\frac{36}{40} > \frac{25}{40} \Rightarrow \frac{9}{10} > \frac{5}{8}$$ 입니다.

평가기준	1가지 방법을 설명할 때마다 2점씩 배점하여 총 4점이 되도록 평가합니다.	합 4점

2

🖊 [방법 1] 분수를 소수로 고쳐서 크기를 비교해 봅니다.

$$\frac{3}{4} = \frac{3 \times 25}{4 \times 25} = \frac{75}{100} = 0.75$$ 이므로

$$0.75 < 0.8 \Rightarrow \frac{3}{4} < 0.8$$ 입니다.

[방법 2] 소수를 분수로 고쳐서 크기를 비교해 봅니다.

$$\frac{3}{4} = \frac{3 \times 5}{4 \times 5} = \frac{15}{20}, \quad 0.8 = \frac{8}{10} = \frac{16}{20}$$

이므로 $\frac{15}{20} < \frac{16}{20} \Rightarrow \frac{3}{4} < 0.8$ 입니다.

평가기준	1가지 방법을 설명할 때마다 2점씩 배점하여 총 4점이 되도록 평가합니다.	합 4점

3

🖊 두 분수씩 차례로 통분하여 비교합니다.

$$\frac{1}{4} = \frac{1 \times 3}{4 \times 3} = \frac{3}{12}, \quad \frac{2}{3} = \frac{2 \times 4}{3 \times 4} = \frac{8}{12}$$ 이므로

$$\frac{3}{12} < \frac{8}{12} \Rightarrow \frac{1}{4} < \frac{2}{3}$$ 입니다.

$$\frac{2}{3} = \frac{2 \times 8}{3 \times 8} = \frac{16}{24}, \quad \frac{7}{8} = \frac{7 \times 3}{8 \times 3} = \frac{21}{24}$$ 이므로

$$\frac{16}{24} < \frac{21}{24} \Rightarrow \frac{2}{3} < \frac{7}{8}$$ 입니다.

따라서 $\frac{1}{4} < \frac{2}{3} < \frac{7}{8}$ 이므로 가장 큰 분수는 $\frac{7}{8}$ 입니다.

평가기준	통분하여 분자의 크기를 비교한 경우	2점	합
	가장 큰 분수가 $\frac{7}{8}$ 임을 설명한 경우	2점	4점

4. 약분과 통분 (4)

서술형 완성하기 p. 52

1 18, 18, 36, 54, 72, 18, 36, 54, 3

답 3개

2 30, 30, 60, 90, 120, 30, 60, 90, 3

답 3개

서술형 정복하기 p. 53

1

🖉 4와 5의 공배수는 4와 5의 최소공배수 20의 배수와 같습니다.
4와 5의 공배수는 20, 40, 60, 80, 100, ……이므로 100보다 작은 수는 20, 40, 60, 80입니다. 따라서 모두 4개입니다.

답 4개

평가기준	4와 5의 공배수를 구한 경우	2점	합 4점
	100보다 작은 공통분모의 개수를 구한 경우	2점	

2

🖉 14와 21의 공배수는 14와 21의 최소공배수 42의 배수와 같습니다.
14와 21의 공배수는 42, 84, 126, ……이므로 두 자리 수는 42, 84입니다. 따라서 모두 2개입니다.

답 2개

평가기준	14와 21의 공배수를 구한 경우	2점	합 4점
	두 자리 수인 공통분모의 개수를 구한 경우	2점	

3

🖉 12와 8의 공배수는 12와 8의 최소공배수 24의 배수와 같습니다.
따라서 12와 8의 공배수는 24, 48, 72, 96, 120, ……이므로 가장 큰 두 자리 수는 96입니다.

답 96

평가기준	12와 8의 공배수를 구한 경우	2점	합 4점
	가장 큰 두 자리 수인 공통분모를 구한 경우	2점	

4. 약분과 통분 (5)

서술형 완성하기 p. 54

1 5, 5, $\frac{5}{6}$, 3, 3, $\frac{9}{10}$, $\frac{5}{6}$, $\frac{9}{10}$

답 $\frac{5}{6}$, $\frac{9}{10}$

2 3, 3, $\frac{3}{8}$, 8, 8, $\frac{1}{3}$, $\frac{3}{8}$, $\frac{1}{3}$

답 $\frac{3}{8}$, $\frac{1}{3}$

서술형 정복하기 p. 55

1

🖉 두 분수를 각각 기약분수로 나타내면
$\frac{12}{32} = \frac{12 \div 4}{32 \div 4} = \frac{3}{8}$, $\frac{6}{32} = \frac{6 \div 2}{32 \div 2} = \frac{3}{16}$
입니다.

따라서 통분하기 전의 두 기약분수는 $\frac{3}{8}$과 $\frac{3}{16}$입니다.

답 $\frac{3}{8}$, $\frac{3}{16}$

평가기준	두 분수를 각각 기약분수로 나타낸 경우	2점	합 4점
	통분하기 전의 두 기약분수를 구한 경우	2점	

2

🖉 두 분수를 각각 기약분수로 나타내면
$\frac{15}{45} = \frac{15 \div 15}{45 \div 15} = \frac{1}{3}$, $\frac{10}{45} = \frac{10 \div 5}{45 \div 5} = \frac{2}{9}$
입니다.

따라서 통분하기 전의 두 기약분수는 $\frac{1}{3}$과 $\frac{2}{9}$입니다.

답 $\frac{1}{3}$, $\frac{2}{9}$

평가기준	두 분수를 각각 기약분수로 나타낸 경우	2점	합4점
	통분하기 전의 두 기약분수를 구한 경우	2점	

3

✏️ 두 분수를 각각 기약분수로 나타내면

$\dfrac{34}{60}=\dfrac{34\div2}{60\div2}=\dfrac{17}{30}$, $\dfrac{55}{60}=\dfrac{55\div5}{60\div5}=\dfrac{11}{12}$

입니다.

따라서 통분하기 전의 두 기약분수는 $\dfrac{17}{30}$ 과

$\dfrac{11}{12}$ 입니다.

답 $\dfrac{17}{30}$, $\dfrac{11}{12}$

평가기준	두 분수를 각각 기약분수로 나타낸 경우	2점	합4점
	통분하기 전의 두 기약분수를 구한 경우	2점	

4. 약분과 통분 (6)

서술형 완성하기　　　　　　　　p. 56

1 5, 5, 2, $\dfrac{26}{40}$, <, $\dfrac{26}{40}$, <, 파란색

답 파란색 테이프

2 4, 32, 1.32, >, 식빵

답 식빵

서술형 정복하기　　　　　　　　p. 57

1

✏️ $\dfrac{11}{20}=\dfrac{11\times4}{20\times4}=\dfrac{44}{80}$, $\dfrac{9}{16}=\dfrac{9\times5}{16\times5}=\dfrac{45}{80}$

이므로 $\dfrac{44}{80}<\dfrac{45}{80}$ ➡ $\dfrac{11}{20}<\dfrac{9}{16}$ 입니다.

따라서 끈이 더 깁니다.

답 끈

평가기준	분모를 통분하여 크기를 비교한 경우	2점	합4점
	철사와 끈 중 더 긴 것을 구한 경우	2점	

2

✏️ $1\dfrac{3}{10}=1.3$ 이므로 $1\dfrac{3}{10}>1.25$ 입니다.

따라서 수영을 더 많이 한 날은 어제입니다.

답 어제

평가기준	분수와 소수의 크기를 비교한 경우	2점	합4점
	수영을 더 많이 한 날을 구한 경우	2점	

3

✏️ $1\dfrac{1}{5}=1\dfrac{1\times4}{5\times4}=1\dfrac{4}{20}$,

$1\dfrac{1}{4}=1\dfrac{1\times5}{4\times5}=1\dfrac{5}{20}$,

$1\dfrac{3}{10}=1\dfrac{3\times2}{10\times2}=1\dfrac{6}{20}$ 이므로

$1\dfrac{4}{20}<1\dfrac{5}{20}<1\dfrac{6}{20}$ ➡ $1\dfrac{1}{5}<1\dfrac{1}{4}<1\dfrac{3}{10}$

입니다.

따라서 규형이네 집에서 가장 가까운 거리에 있는 곳은 학교입니다.

답 학교

평가기준	세 분수를 통분하여 크기를 비교한 경우	3점	합5점
	집에서 가장 가까운 거리에 있는 곳을 구한 경우	2점	

실전! 서술형　　　　　　　　p. 58 ~ 59

1

✏️ $\dfrac{3}{4}$ 의 분모와 분자에 4를 곱하면

$\dfrac{3}{4}=\dfrac{3\times4}{4\times4}=\dfrac{12}{16}$ 이므로 $\dfrac{3}{4}$ 은 $\dfrac{12}{16}$ 와 크기

가 같습니다.

평가기준	$\dfrac{3}{4}$ 은 $\dfrac{12}{16}$ 와 크기가 같은 수임을 설명한 경우	4점

2

✏️ 입장한 남자는 $360-200=160$(명)이고,

전체의 $\dfrac{160}{360}$ 이므로 기약분수로 나타내면

$\dfrac{160}{360}=\dfrac{160\div40}{360\div40}=\dfrac{4}{9}$ 입니다.

따라서 입장한 남자는 전체의 $\dfrac{4}{9}$입니다.

답 $\dfrac{4}{9}$

평가기준	입장한 남자의 수를 구한 경우	1점	
	입장한 남자는 전체의 얼마인지 분수로 나타낸 경우	2점	합 5점
	입장한 남자는 전체의 얼마인지 기약분수로 나타낸 경우	2점	

3

[방법 1] 분모의 곱을 공통분모로 하여 통분한 후 크기를 비교해 봅니다.

$$\dfrac{7}{15}=\dfrac{7\times 9}{15\times 9}=\dfrac{63}{135},$$

$$\dfrac{2}{9}=\dfrac{2\times 15}{9\times 15}=\dfrac{30}{135}$$이므로

$$\dfrac{63}{135}>\dfrac{30}{135} \Rightarrow \dfrac{7}{15}>\dfrac{2}{9}$$입니다.

[방법 2] 분모의 최소공배수를 공통분모로 하여 통분한 후 크기를 비교해 봅니다.

$$\dfrac{7}{15}=\dfrac{7\times 3}{15\times 3}=\dfrac{21}{45},$$

$$\dfrac{2}{9}=\dfrac{2\times 5}{9\times 5}=\dfrac{10}{45}$$이므로

$$\dfrac{21}{45}>\dfrac{10}{45} \Rightarrow \dfrac{7}{15}>\dfrac{2}{9}$$입니다.

평가기준	1가지 방법을 설명할 때마다 2점씩 배점하여 총 4점이 되도록 평가합니다.	합 4점

4

16과 24의 공배수는 16과 24의 최소공배수 48의 배수와 같습니다.
16과 24의 공배수는 48, 96, 144, 192, ……이므로 150보다 작은 수는 48, 96, 144 입니다. 따라서 모두 3개입니다.

답 3개

평가기준	16과 24의 공배수를 구한 경우	2점	합
	150보다 작은 공통분모의 개수를 구한 경우	2점	4점

5

두 분수를 각각 기약분수로 나타내면

$$\dfrac{28}{84}=\dfrac{28\div 28}{84\div 28}=\dfrac{1}{3},$$

$$\dfrac{40}{84}=\dfrac{40\div 4}{84\div 4}=\dfrac{10}{21}$$입니다.

따라서 통분하기 전의 두 기약분수는 $\dfrac{1}{3}$과 $\dfrac{10}{21}$입니다.

답 $\dfrac{1}{3}$, $\dfrac{10}{21}$

평가기준	두 분수를 각각 기약분수로 나타낸 경우	2점	합
	통분하기 전의 두 기약분수를 구한 경우	2점	4점

6

$\dfrac{1}{2}=\dfrac{1\times 5}{2\times 5}=\dfrac{5}{10}$, $0.4=\dfrac{4}{10}$, $\dfrac{1}{10}$이므로

$\dfrac{1}{10}<\dfrac{4}{10}<\dfrac{5}{10} \Rightarrow \dfrac{1}{10}<0.4<\dfrac{1}{2}$입니다.

따라서 학급 게시판을 가장 많이 차지하고 있는 것은 그림 작품입니다.

답 그림 작품

평가기준	세 수의 크기를 비교한 경우	3점	합
	학급 게시판을 가장 많이 차지하고 있는 것을 구한 경우	2점	5점

5 분수의 덧셈과 뺄셈

5. 분수의 덧셈과 뺄셈 (1)

서술형 완성하기 p. 62

1
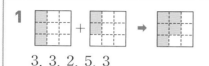
3, 3, 2, 5, 3

2
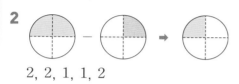
2, 2, 1, 1, 2

서술형 정복하기 p. 63

1

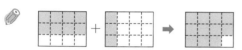

$\dfrac{2}{3}=\dfrac{8}{12}$이므로 $\dfrac{2}{3}$는 12칸 중 8칸을 색칠

하고 $\dfrac{1}{4}=\dfrac{3}{12}$이므로 $\dfrac{1}{4}$은 12칸 중 3칸을

색칠하면 $\dfrac{2}{3}+\dfrac{1}{4}$은 12칸 중 11칸을 색칠하

게 됩니다.

따라서 $\dfrac{2}{3}+\dfrac{1}{4}=\dfrac{8}{12}+\dfrac{3}{12}=\dfrac{11}{12}$입니다.

평가기준	그림을 이용하여 계산 과정을 나타 낸 경우	2점	합 4점
	계산 과정을 설명한 경우	2점	

2

$\dfrac{3}{4}=\dfrac{15}{20}$이므로 $\dfrac{3}{4}$은 20칸 중 15칸을 색칠

하고 $\dfrac{1}{5}=\dfrac{4}{20}$이므로 $\dfrac{1}{5}$은 20칸 중 4칸을

색칠하면 $\dfrac{3}{4}+\dfrac{1}{5}$은 20칸 중 19칸을 색칠하

게 됩니다.

따라서 $\dfrac{3}{4}+\dfrac{1}{5}=\dfrac{15}{20}+\dfrac{4}{20}=\dfrac{19}{20}$입니다.

평가기준	그림을 이용하여 계산 과정을 나타 낸 경우	2점	합 4점
	계산 과정을 설명한 경우	2점	

3

$\dfrac{7}{9}=\dfrac{14}{18}$이므로 $\dfrac{7}{9}$은 18칸 중 14칸을 색칠

하고 $\dfrac{1}{2}=\dfrac{9}{18}$이므로 $\dfrac{1}{2}$은 18칸 중 9칸을

지우면 $\dfrac{7}{9}-\dfrac{1}{2}$은 18칸 중 5칸을 색칠하게

됩니다.

따라서 $\dfrac{7}{9}-\dfrac{1}{2}=\dfrac{14}{18}-\dfrac{9}{18}=\dfrac{5}{18}$입니다.

평가기준	그림을 이용하여 계산 과정을 나타 낸 경우	2점	합 4점
	계산 과정을 설명한 경우	2점	

5. 분수의 덧셈과 뺄셈 (2)

서술형 완성하기 p. 64

1 [방법 1] 10, 9, 10, 9, 2, 1, 4, 3, 4
　　[방법 2] 5, 8, 25, 24, 49, 3, 4

2 [방법 1] 2, 2, 2, 1, 2, 1
　　[방법 2] 15, 3, 15, 6, 9, 2, 1

서술형 정복하기 p.65

1

[방법 1] 두 분수를 통분하여 자연수는 자연수
　　　　끼리 더하고, 분수는 분수끼리 더합
　　　　니다.

$$2\dfrac{2}{3}+2\dfrac{1}{6}=2\dfrac{4}{6}+2\dfrac{1}{6}$$

$$=(2+2)+\left(\dfrac{4}{6}+\dfrac{1}{6}\right)$$

$$=4+\dfrac{5}{6}=4\dfrac{5}{6}$$

정답과 풀이

[방법 2] 대분수를 가분수로 고친 후 통분하여 계산합니다.

$$2\frac{2}{3}+2\frac{1}{6}=\frac{8}{3}+\frac{13}{6}$$
$$=\frac{16}{6}+\frac{13}{6}$$
$$=\frac{29}{6}=4\frac{5}{6}$$

평가기준	1가지 방법을 설명할 때마다 2점씩 배점하여 총 4점이 되도록 평가합니다.	합 4점

2

[방법 1] 두 분수를 통분하여 자연수는 자연수끼리 빼고, 분수는 분수끼리 뺍니다.

$$4\frac{7}{10}-3\frac{1}{15}=4\frac{21}{30}-3\frac{2}{30}$$
$$=(4-3)+(\frac{21}{30}-\frac{2}{30})$$
$$=1+\frac{19}{30}=1\frac{19}{30}$$

[방법 2] 대분수를 가분수로 고친 후 통분하여 계산합니다.

$$4\frac{7}{10}-3\frac{1}{15}=\frac{47}{10}-\frac{46}{15}$$
$$=\frac{141}{30}-\frac{92}{30}$$
$$=\frac{49}{30}=1\frac{19}{30}$$

평가기준	1가지 방법을 설명할 때마다 2점씩 배점하여 총 4점이 되도록 평가합니다.	합 4점

3

[방법 1] 두 분수를 통분하여 자연수는 자연수끼리 빼고, 분수는 분수끼리 뺍니다.

$$3\frac{1}{9}-1\frac{1}{5}=3\frac{5}{45}-1\frac{9}{45}$$
$$=2\frac{50}{45}-1\frac{9}{45}$$
$$=(2-1)+(\frac{50}{45}-\frac{9}{45})$$
$$=1+\frac{41}{45}=1\frac{41}{45}$$

[방법 2] 대분수를 가분수로 고친 후 통분하여 계산합니다.

$$3\frac{1}{9}-1\frac{1}{5}=\frac{28}{9}-\frac{6}{5}$$
$$=\frac{140}{45}-\frac{54}{45}$$
$$=\frac{86}{45}=1\frac{41}{45}$$

평가기준	1가지 방법을 설명할 때마다 2점씩 배점하여 총 4점이 되도록 평가합니다.	합 4점

5. 분수의 덧셈과 뺄셈 (3)

서술형 완성하기　　p. 66

1 6, 3, 4, 9, 4, 9　답 $4\frac{9}{10}$ cm

2 3, 11, 11　답 $\frac{11}{16}$ m

서술형 정복하기　　p. 67

1

(가로)+(세로)
$$=\frac{19}{25}+\frac{11}{40}=\frac{152}{200}+\frac{55}{200}=\frac{207}{200}$$
$$=1\frac{7}{200}\,(\text{m})$$

따라서 가로와 세로의 합은 $1\frac{7}{200}$ m입니다.

답 $1\frac{7}{200}$ m

평가기준	알맞은 식을 세운 경우	2점	합 4점
	가로와 세로의 합을 구한 경우	2점	

2

(세로)-(가로)
$$=\frac{3}{8}-\frac{3}{10}=\frac{15}{40}-\frac{12}{40}=\frac{3}{40}\,(\text{m})$$

따라서 가로와 세로의 차는 $\frac{3}{40}$ m입니다.

답 $\frac{3}{40}$ m

평가 기준	알맞은 식을 세운 경우	2점	합 4점
	가로와 세로의 차를 구한 경우	2점	

3

✏️ (가로)−(세로)

$$=3\frac{3}{10}-2\frac{4}{5}=3\frac{3}{10}-2\frac{8}{10}$$

$$=2\frac{13}{10}-2\frac{8}{10}=\frac{5}{10}=\frac{1}{2}\,(\text{cm})$$

따라서 가로와 세로의 차는 $\frac{1}{2}$ cm입니다.

답 $\frac{1}{2}$ cm

평가 기준	알맞은 식을 세운 경우	2점	합 4점
	가로와 세로의 차를 구한 경우	2점	

5. 분수의 덧셈과 뺄셈 (4)

서술형 완성하기   p. 68

1 72, 35, 37, 37   답 $\frac{37}{80}$ kg

2 38, 16, 15, 7, 7   답 $\frac{7}{40}$ L

서술형 정복하기   p. 69

1

✏️ (상연이가 모은 헌 종이의 무게)
    ＋(한초가 모은 헌 종이의 무게)

$$=1\frac{8}{25}+1\frac{4}{5}=1\frac{8}{25}+1\frac{20}{25}$$

$$=2\frac{28}{25}=3\frac{3}{25}\,(\text{kg})$$

따라서 상연이와 한초가 모은 헌 종이의 무게
는 모두 $3\frac{3}{25}$ kg입니다.

답 $3\frac{3}{25}$ kg

평가 기준	알맞은 식을 세운 경우	2점	합 4점
	상연이와 한초가 모은 헌 종이 무게의 합을 구한 경우	2점	

2

✏️ (한별이가 만든 끈의 길이)
    −(영수가 만든 끈의 길이)

$$=1\frac{5}{8}-1\frac{1}{4}=1\frac{5}{8}-1\frac{2}{8}=\frac{3}{8}\,(\text{m})$$

따라서 한별이가 $\frac{3}{8}$ m 더 길게 만들었습니다.

답 한별, $\frac{3}{8}$ m

평가 기준	알맞은 식을 세운 경우	2점	합 4점
	누가 끈을 얼마나 더 길게 만들었는지 구한 경우	2점	

3

✏️ (물통에 들어 있던 물의 양)
    −(사용한 물의 양)＋(더 부은 물의 양)

$$=4\frac{5}{8}-2\frac{1}{4}+1\frac{3}{5}$$

$$=4\frac{25}{40}-2\frac{10}{40}+1\frac{24}{40}$$

$$=3\frac{39}{40}\,(\text{L})$$

따라서 물통에 들어 있는 물의 양은 $3\frac{39}{40}$ L
입니다.

답 $3\frac{39}{40}$ L

평가 기준	알맞은 식을 세운 경우	2점	합 4점
	물통에 들어 있는 물의 양을 구한 경우	2점	

실전! 서술형   p. 70 ~ 71

1

✏️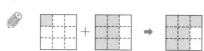

$\frac{1}{9}$ 은 9칸 중 1칸을 색칠하고 $\frac{2}{3}=\frac{6}{9}$ 이므로

$\frac{2}{3}$ 는 9칸 중 6칸을 색칠하면 $\frac{1}{9}+\frac{2}{3}$ 는 9칸

중 7칸을 색칠하게 됩니다.

따라서 $\frac{1}{9}+\frac{2}{3}=\frac{1}{9}+\frac{6}{9}=\frac{7}{9}$ 입니다.

평가기준	그림을 이용하여 계산 과정을 나타 낸 경우	2점	합 4점
	계산 과정을 설명한 경우	2점	

2

✏️ [방법 1] 두 분수를 통분하여 자연수는 자연수 끼리 빼고, 분수는 분수끼리 뺍니다.

$$2\frac{3}{14} - 1\frac{1}{8} = 2\frac{12}{56} - 1\frac{7}{56}$$

$$= (2-1) + \left(\frac{12}{56} - \frac{7}{56}\right)$$

$$= 1 + \frac{5}{56} = 1\frac{5}{56}$$

[방법 2] 대분수를 가분수로 고친 후 통분하여 계산합니다.

$$2\frac{3}{14} - 1\frac{1}{8} = \frac{31}{14} - \frac{9}{8}$$

$$= \frac{124}{56} - \frac{63}{56}$$

$$= \frac{61}{56} = 1\frac{5}{56}$$

평가기준	1가지 방법을 설명할 때마다 2점씩 배점 하여 총 4점이 되도록 평가합니다.	합 4점

3

✏️ (가로) + (세로)

$$= 3\frac{5}{8} + 3\frac{7}{10} = 3\frac{25}{40} + 3\frac{28}{40}$$

$$= 6\frac{53}{40} = 7\frac{13}{40} \text{(cm)}$$

따라서 가로와 세로의 합은 $7\frac{13}{40}$ cm입니다.

답 $7\frac{13}{40}$ cm

평가기준	알맞은 식을 세운 경우	2점	합 4점
	가로와 세로의 합을 구한 경우	2점	

4

✏️ (어제 읽은 동화책의 양)
  + (오늘 읽은 동화책의 양)

$$= \frac{5}{14} + \frac{2}{7} = \frac{5}{14} + \frac{4}{14} = \frac{9}{14}$$

따라서 이틀 동안 읽은 양은 전체의 $\frac{9}{14}$입니다.

답 $\frac{9}{14}$

평가기준	알맞은 식을 세운 경우	2점	합 4점
	이틀 동안 읽은 양은 전체의 얼마인지 구한 경우	2점	

5

✏️ (처음 쌀의 양)
  − (밥을 짓는 데 사용한 쌀의 양)
  − (떡을 만드는 데 사용한 쌀의 양)

$$= 4\frac{7}{10} - 1\frac{3}{4} - 2\frac{4}{5}$$

$$= 4\frac{14}{20} - 1\frac{15}{20} - 2\frac{16}{20}$$

$$= \frac{3}{20} \text{(kg)}$$

따라서 남은 쌀의 양은 $\frac{3}{20}$ kg입니다.

답 $\frac{3}{20}$ kg

평가기준	알맞은 식을 세운 경우	2점	합 4점
	남은 쌀의 양을 구한 경우	2점	

6

✏️ ㉮ 길의 거리는
(집~우체국) + (우체국~학교)

$$= 2\frac{1}{2} + 3\frac{3}{8} = 2\frac{4}{8} + 3\frac{3}{8}$$

$$= 5\frac{7}{8} \text{(km)}$$이고

㉯ 길의 거리는
(집~병원) + (병원~학교)

$$= 3\frac{2}{5} + 2\frac{3}{4} = 3\frac{8}{20} + 2\frac{15}{20}$$

$$= 5\frac{23}{20} = 6\frac{3}{20} \text{(km)}$$입니다.

따라서 $5\frac{7}{8} < 6\frac{3}{20}$이므로 ㉮ 길로 가는 것이 더 가깝습니다.

답 ㉮ 길

평가기준	㉮ 길의 거리를 구한 경우	2점	합 5점
	㉯ 길의 거리를 구한 경우	2점	
	어느 길이 더 가까운지 구한 경우	1점	

6 다각형의 둘레와 넓이

6. 다각형의 둘레와 넓이 (1)

서술형 완성하기 p. 74

1 2, 2, 2, 38 답 38 cm

2 4, 4, 4, 32 답 32 cm

서술형 정복하기 p. 75

1

🖉 직사각형의 둘레를 구하는 방법은
{(가로)+(세로)}×2입니다. 따라서
(수학 문제집의 둘레)
=(22+30)×2
=104(cm)입니다.

답 104 cm

평가 기준	수학 문제집의 둘레를 구하는 방법을 식으로 바르게 나타낸 경우	3점	합 5점
	답을 바르게 구한 경우	2점	

2

🖉 (평행사변형의 둘레)
=(9+4)×2=26(cm)
(마름모의 둘레)
=7×4=28(cm)
따라서 둘레의 차는 28−26=2(cm)입니다.

답 2 cm

평가 기준	평행사변형의 둘레를 바르게 구한 경우	2점	합 5점
	마름모의 둘레를 바르게 구한 경우	2점	
	답을 구한 경우	1점	

3

🖉 각 변의 길이를 2배로 늘리면 가로는
5×2=10(cm), 세로는 2×2=4(cm)가
됩니다. 따라서

(늘린 직사각형의 둘레)
=(10+4)×2=28(cm)입니다.

답 28 cm

평가 기준	문제의 조건에 맞도록 풀이 과정을 전 개한 경우	3점	합 5점
	풀이 과정에 맞도록 올바른 답을 구 한 경우	2점	

6. 다각형의 둘레와 넓이 (2)

서술형 완성하기 p. 76

1 18, 18, 54 답 54 cm

2 15, 15, 70 답 70 cm

서술형 정복하기 p. 77

1

🖉 도형의 둘레에는 길이가 5 cm인 변이 모두
16개 있습니다.
따라서 (도형의 둘레)=5×16=80(cm)입
니다.

답 80 cm

평가 기준	작은 정사각형의 한 변의 길이를 이용 하여 풀이 과정을 전개한 경우	3점	합 5점
	풀이 과정에 맞도록 올바른 답을 구 한 경우	2점	

2

🖉

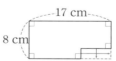

변의 위치를 옮기면 도형의 둘레는 가로가
17 cm, 세로가 8 cm인 직사각형의 둘레와
같습니다. 따라서
(도형의 둘레)=(17+8)×2=50(cm)입
니다.

답 50 cm

평가 기준	도형의 둘레가 가로 17 cm, 세로 8 cm인 직사각형의 둘레와 같음을 이용하여 풀이 과정을 전개한 경우	3점	합 5점
	풀이 과정에 맞도록 올바른 답을 구한 경우	2점	

3

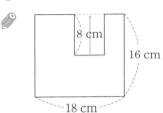

변의 위치를 옮기면 도형의 둘레는 18 cm, 16 cm, 8 cm를 각각 2번씩 더한 길이와 같습니다.

따라서 (도형의 둘레)$=(18+16+8) \times 2$
$$=84(cm)$$

입니다.

답 84 cm

평가 기준	도형의 둘레를 구하는 풀이 과정을 전개한 경우	3점	합 5점
	풀이 과정에 맞도록 올바른 답을 구한 경우	2점	

6. 다각형의 둘레와 넓이 (3)

서술형 완성하기 p. 78

1 1, 8, 8, 16, 16
  답 가 : 8 m², 나 : 16 m²

서술형 정복하기 p. 79

1

가는 모눈이 7칸이므로 단위넓이의 7배, 나는 모눈이 9칸이므로 단위넓이의 9배, 다는 모눈이 15칸이므로 단위넓이의 15배, 라는 모눈이 6칸이므로 단위넓이의 6배입니다.
따라서 직사각형의 넓이가 가장 넓은 것부터 순서대로 기호를 쓰면 다, 나, 가, 라입니다.

답 다, 나, 가, 라

평가 기준	각 직사각형이 단위넓이의 몇 배인지 바르게 설명한 경우	3점	합 5점
	각 직사각형의 넓이를 비교하여 답을 바르게 쓴 경우	2점	

2

모눈 한 칸을 단위넓이로 하면 단위넓이는 한 변의 길이가 1 km인 정사각형의 넓이이므로 1 km²입니다.
색칠한 부분은 모눈이 22칸이므로 단위넓이의 22배입니다.
따라서 색칠한 부분의 넓이는 1 km²의 22배이므로 22 km²입니다.

답 22 km²

평가 기준	색칠한 부분이 단위넓이의 몇 배인지를 이용하여 풀이 과정을 전개한 경우	3점	합 5점
	풀이 과정에 맞도록 올바른 답을 구한 경우	2점	

3

모눈 한 칸의 넓이는 한 변의 길이가 1 cm인 정사각형의 넓이이므로 1 cm²입니다.
따라서 6 cm²는 1 cm²의 6배이므로 모눈 6칸이 되도록 도형을 3개 그립니다.

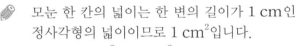
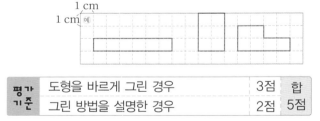

평가 기준	도형을 바르게 그린 경우	3점	합 5점
	그린 방법을 설명한 경우	2점	

6. 다각형의 둘레와 넓이 (4)

서술형 완성하기 p. 80

1 20, 5, 400, 55, 345   **답** 345 cm²

서술형 정복하기

p. 81

1

 [방법 1]

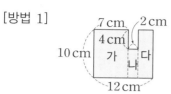

(도형의 넓이)
=(가의 넓이)+(나의 넓이)+(다의 넓이)
$=7 \times 10 + 2 \times 6 + 3 \times 10$
$=70 + 12 + 30 = 112 \, (\text{cm}^2)$

[방법 2]

(도형의 넓이)
=(큰 직사각형의 넓이)-(가의 넓이)
$=12 \times 10 - 2 \times 4$
$=120 - 8 = 112 \, (\text{cm}^2)$

답 $112 \, \text{cm}^2$

평가 기준	1가지 방법을 설명할 때마다 3점씩 배점하 여 총 6점이 되도록 평가합니다.	합 6점

2

 [방법 1]

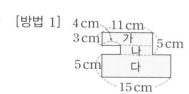

(도형의 넓이)
=(가의 넓이)+(나의 넓이)+(다의 넓이)
$=11 \times 3 + 7 \times 2 + 15 \times 5$
$=33 + 14 + 75 = 122 \, (\text{cm}^2)$

[방법 2]

(도형의 넓이)
=(가장 큰 직사각형의 넓이)-(가의 넓이)
  -(나의 넓이)
$=15 \times 10 - 4 \times 2 - 4 \times 5$
$=150 - 8 - 20 = 122 \, (\text{cm}^2)$

답 $122 \, \text{cm}^2$

평가 기준	1가지 방법을 설명할 때마다 3점씩 배점하 여 총 6점이 되도록 평가합니다.	합 6점

3

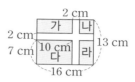

(가의 넓이)$=10 \times 4 = 40 \, (\text{cm}^2)$
(나의 넓이)$=4 \times 4 = 16 \, (\text{cm}^2)$
(다의 넓이)$=10 \times 7 = 70 \, (\text{cm}^2)$
(라의 넓이)$=4 \times 7 = 28 \, (\text{cm}^2)$
따라서 색칠한 부분의 넓이는
$40 + 16 + 70 + 28 = 154 \, (\text{cm}^2)$입니다.
[다른 풀이]
색칠한 부분을 맞붙이면 색칠한 부분의 넓이
는 가로가 $16 - 2 = 14 \, (\text{cm})$,
세로가 $13 - 2 = 11 \, (\text{cm})$인 직사각형의 넓
이와 같으므로 $14 \times 11 = 154 \, (\text{cm}^2)$입니다.

평가 기준	풀이 과정이 구체적이고 바른 경우	3점	합
	답을 구한 경우	2점	5점

6. 다각형의 둘레와 넓이 (5)

서술형 완성하기

p. 82

1 밑변, 높이, 2, 밑변, 높이, 2

서술형 정복하기

p. 83

1

 마름모를 대각선으로 잘라 직사각형으로 만
들면 직사각형의 가로는 마름모의 한 대각선
과 같고, 세로는 마름모의 다른 대각선의 반
과 같습니다. 따라서
(마름모의 넓이)
=(직사각형의 넓이)
=(가로)×(세로)
=(한 대각선)×(다른 대각선)÷2입니다.

평가 기준	직사각형과 마름모의 길이의 관계를 아는 경우	2점	합
	마름모의 넓이 구하는 방법을 설명 한 경우	2점	4점

2

 모양과 크기가 똑같은 사다리꼴 2개를 붙여 평행사변형을 만들면 평행사변형의 밑변은 사다리꼴의 윗변과 아랫변의 합과 같고, 평행사변형의 높이는 사다리꼴의 높이와 같습니다. 따라서
(사다리꼴의 넓이)
$=$ (평행사변형의 넓이) $\div 2$
$=$ (밑변) $\times$ (높이) $\div 2$
$=$ {(윗변) $+$ (아랫변)} $\times$ (높이) $\div 2$입니다.

평가기준	평행사변형과 사다리꼴의 변의 관계를 아는 경우	2점	합 4점
	사다리꼴의 넓이 구하는 방법을 설명한 경우	2점	

6. 다각형의 둘레와 넓이 (6)

서술형 완성하기   p. 84

1 7, 5, 6, 21, 15, 36, 36   **답** 36 cm²

2 4, 5, 40, 40   **답** 40 cm²

서술형 정복하기   p. 85

1

 (마름모의 넓이)
$=$ (삼각형 ㄱㄴㄹ의 넓이) $\times 2$
$=(12 \times 4 \div 2) \times 2 = 48(\text{cm}^2)$
따라서 마름모의 넓이는 48 cm²입니다.

답 48 cm²

평가기준	삼각형 2개로 나누어 마름모의 넓이 구하는 식을 세운 경우	2점	합 4점
	삼각형 2개로 나누어 마름모의 넓이를 구한 경우	2점	

2

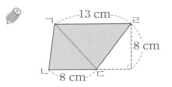

점 ㄱ과 점 ㄷ을 이어 삼각형 2개로 나눕니다.
(사다리꼴의 넓이)
$=$ (삼각형 ㄱㄴㄷ의 넓이)
    $+$ (삼각형 ㄱㄷㄹ의 넓이)
$=(8 \times 8 \div 2) + (13 \times 8 \div 2)$
$=32 + 52 = 84(\text{cm}^2)$
따라서 사다리꼴의 넓이는 84 cm²입니다.

답 84 cm²

평가기준	삼각형 2개로 나누어 사다리꼴의 넓이 구하는 식을 세운 경우	2점	합 4점
	삼각형 2개로 나누어 사다리꼴의 넓이를 구한 경우	2점	

3

 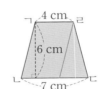

점 ㄹ에서 변 ㄱㄴ과 평행한 직선을 그어 봅니다.
(사다리꼴의 넓이)
$=$ (평행사변형의 넓이) $+$ (삼각형의 넓이)
$=(4 \times 6) + (3 \times 6 \div 2)$
$=24 + 9 = 33(\text{cm}^2)$
따라서 사다리꼴의 넓이는 33 cm²입니다.

답 33 cm²

평가기준	평행사변형과 삼각형으로 나누어 사다리꼴의 넓이 구하는 식을 세운 경우	2점	합 5점
	평행사변형과 삼각형으로 나누어 사다리꼴의 넓이를 구한 경우	3점	

6. 다각형의 둘레와 넓이 (7)

서술형 완성하기   p. 86

1 7, 4, 7, 4, 7, 4, 8, 4, ㉣   **답** ㉣

[서술형 정복하기]   p. 87

1

✏️ ㉮, ㉰, ㉱는 밑변이 모눈 3칸, 높이가 모눈 5칸이고 ㉯는 밑변이 모눈 4칸, 높이가 모눈 5칸입니다.
따라서 ㉮, ㉰, ㉱는 넓이가 같고 넓이가 다른 삼각형은 ㉯입니다.

답 ㉯

평가 기준	밑변의 길이와 높이의 모눈 칸 수를 각각 구한 경우	2점	합 4점
	넓이가 다른 삼각형을 구한 경우	2점	

2

✏️ ㉮, ㉯, ㉱는 윗변과 아랫변의 길이의 합이 모눈 8칸, 높이가 모눈 4칸이고 ㉰는 윗변과 아랫변의 길이의 합이 모눈 6칸, 높이가 모눈 4칸입니다.
따라서 ㉮, ㉯, ㉱는 넓이가 같고 넓이가 다른 사다리꼴은 ㉰입니다.

답 ㉰

평가 기준	윗변과 아랫변의 길이의 합과 높이 의 모눈 칸 수를 각각 구한 경우	2점	합 4점
	넓이가 다른 사다리꼴을 구한 경우	2점	

6. 다각형의 둘레와 넓이 (8)

[서술형 완성하기]   p. 88

1 10, 4, 40, 8, 32, 32   답 $32\,cm^2$

2 20, 12, 3, 210, 36, 174, 174

    답 $174\,cm^2$

[서술형 정복하기]   p. 89

1

✏️ (색칠한 부분의 넓이)
$$= (14 \times 6 \div 2) + (14 \times 6 \div 2)$$
$$= 42 + 42 = 84\,(cm^2)$$
따라서 색칠한 부분의 넓이는 $84\,cm^2$입니다.

답 $84\,cm^2$

평가 기준	색칠한 부분의 넓이를 구하는 식을 세 운 경우	2점	합 4점
	색칠한 부분의 넓이를 구한 경우	2점	

2

✏️ (색칠한 부분의 넓이)
$$= \{(9+11) \times 8 \div 2\} - (11 \times 4 \div 2)$$
$$= 80 - 22 = 58\,(cm^2)$$
따라서 색칠한 부분의 넓이는 $58\,cm^2$입니다.

답 $58\,cm^2$

평가 기준	색칠한 부분의 넓이를 구하는 식을 세운 경우	2점	합 4점
	색칠한 부분의 넓이를 구한 경우	2점	

3

✏️ (색칠한 부분의 넓이)
$$= (26 \times 22 \div 2) - (26 \times 8 \div 2)$$
$$= 286 - 104 = 182\,(cm^2)$$
따라서 색칠한 부분의 넓이는 $182\,cm^2$입니다.

답 $182\,cm^2$

평가 기준	색칠한 부분의 넓이를 구하는 식을 세운 경우	2점	합 4점
	색칠한 부분의 넓이를 구한 경우	2점	

[실전! 서술형]   p. 90 ~ 91

1

✏️ (직사각형 가의 둘레)
$$= \{(가로) + (세로)\} \times 2$$
$$= (8 + 11) \times 2 = 38\,(cm)$$
(정사각형 나의 둘레)
$$= (한\ 변) \times 4 = 10 \times 4 = 40\,(cm)$$

따라서 38<40이므로 둘레가 더 긴 사각형은 나입니다.

답 나

평가기준	직사각형 가의 둘레를 바르게 설명한 경우	2점	합 5점
	정사각형 나의 둘레를 바르게 설명한 경우	2점	
	답을 구한 경우	1점	

2

도형의 둘레에는 길이가 3 cm인 변이 모두 18개 있습니다.
따라서 (도형의 둘레)$=3\times18=54$(cm)입니다.

답 54 cm

평가기준	작은 정사각형의 한 변의 길이를 이용하여 풀이 과정을 전개한 경우	3점	합 5점
	풀이 과정에 맞도록 올바른 답을 구한 경우	2점	

3

[방법 1]
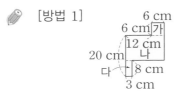

(도형의 넓이)
$=$(가의 넓이)$+$(나의 넓이)$+$(다의 넓이)
$=6\times6+18\times12+3\times8$
$=36+216+24=276$(cm^2)

[방법 2]

(도형의 넓이)
$=$(전체의 넓이)$-$(가의 넓이)$-$(나의 넓이)
$=18\times26-12\times6-15\times8$
$=468-72-120$
$=276$(cm^2)

답 276 cm^2

평가기준	1가지 방법을 설명할 때마다 3점씩 배점하여 총 6점이 되도록 평가합니다.	6점

4

(마름모의 넓이)
$=$(삼각형 ㄱㄴㅁ의 넓이)$\times4$
$=(7\times4\div2)\times4=56$(cm^2)
따라서 마름모의 넓이는 56 cm^{2}입니다.

답 56 cm^2

평가기준	삼각형 4개로 나누어 마름모의 넓이 구하는 식을 세운 경우	2점	합 4점
	삼각형 4개로 나누어 마름모의 넓이를 구한 경우	2점	

5

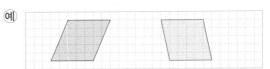

주어진 평행사변형은 밑변이 모눈 5칸, 높이가 모눈 5칸입니다.
따라서 밑변이 모눈 5칸, 높이가 모눈 5칸인 평행사변형을 그립니다.

평가기준	넓이가 같고 모양이 다른 평행사변형을 그린 경우	2점	합 4점
	그리는 방법을 설명한 경우	2점	

6

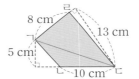

색칠한 부분의 넓이는 삼각형 ㄱㄴㄷ과 삼각형 ㄱㄷㄹ의 넓이를 더한 것과 같습니다.
(색칠한 부분의 넓이)
$=(10\times5\div2)+(8\times13\div2)$
$=25+52=77$(cm^2)
따라서 색칠한 부분의 넓이는 77 cm^{2}입니다.

답 77 cm^2

평가기준	색칠한 부분의 넓이를 구하는 식을 세운 경우	2점	합 5점
	색칠한 부분의 넓이를 구한 경우	3점	

5 학년이 꼭 ✓ 알아야 한

수학 서술형

바른 독해의 빠른시작 빠작

초등 국어 비문학 독해

3단계 3·4학년

독해의 핵심은 비문학

지문 분석으로 독해를 깊이 있게!

비문학 독해 | 1~6단계

바른 독해의 빠른시작 빠작

초등 국어 문학 독해

4단계 3·4학년

올바른 문학 독서법

문학 갈래별 작품 이해를 풍성하게!

문학 독해 | 1~6단계

2023 NEW

독해력을 키우는 바른 어휘 학습 빠작

초등 국어 어휘X독해

5단계 5·6학년

결국은 어휘력

비문학 독해로 어휘 이해부터 어휘 확장까지!

어휘 X 독해 | 1~6단계

초등 문해력의 빠른시작 빠작

동아출판

백점 수학 1·1

초등학교   학년   반   번   이름

믿고 보는 동아출판
초등 교재

기초학습서부터 교과서 개념 다지기, 과목별 전문서까지!
초등학교 입학 전부터, 예비 중등까지!
초등학생에게 꼭 필요한 영역을 빠짐없이! **동아출판 초등 교재 라인업**

BEST

2022 개정
교육과정

초등 1~2학년
공부 단짝
초능력

맞춤법 +
받아쓰기

쉽고 빠른
맞춤법 학습

받아쓰기
단계별 연습

국어 교과서
어휘 학습

초등 국어
1·2

초능력
비주얼씽킹 과학

초능력
비주얼씽킹 초등 한국사

초능력
수학 연산

초능력
국어 독해

초능력
급수 한자

초등 영역별 기초학습서
초능력 국어 / 수학 / 과학 / 한국사 / 한자

초고필
비문학 독해1

5~6학년
예비 중등

초고필
지금 유리수의
사칙연산
을 해야 할 때
5·6 예비 중등

초고필
지금,
국어 문법
을 해야 할 때

초고필
지금 국어 어휘
를 해야 할 때

초등 반편성
배치고사
+진단평가

초고필
지금 한국사
를 해야 할 때

예비 중등
초고필 국어 / 수학 / 한국사
적중 반편성 배치고사 + 진단평가